In den Satyrica, den Schelmengeschichten, diesem unverschämten, aber lustigen und liebenswürdigen Buch des Nero-Zeitgenossen Petronius (gestorben 66 n. Chr.), steht als größtes zusammenhängendes Stück die Erzählung von einer grandiosen antiken Fresserei. Der Gastgeber ist Trimalchio, ein neureicher Fettwanst, der eine Gesellschaft halbseidener Kostgänger mit tollen Spezialitäten abfüttert, dazu mit fantastischen kulturellen Darbietungen: niemand soll sagen, daß der große Trimalchio ein ungebildeter Mensch sei...

Die Cena Trimalchionis, kulturhistorisch aufschlußreich und literarisch amüsant, ist für Kollegiaten an Gymnasien und für alte Lateiner ein großes *sprachliches* Vergnügen: Mit Genuß bringt der geniale Erzähler die verschiedenen Sprach-Ebenen seiner Zeit ins Spiel – wunderschöne Wort-Verwechslungen! –, und in der Übersetzung ist das auf eine oft verblüffende Weise nachgezeichnet.

Der Text ist mit einem kritischen Apparat versehen, der den neuesten Stand der Forschung aufzeigt. Auch die Einführung und der Anhang sind aktuelle Beiträge.

dtv zweisprachig · Edition Langewiesche-Brandt

PETRONIUS

CENA TRIMALCHIONIS

GASTMAHL BEI TRIMALCHIO

Lateinisch-deutsch
von Konrad Müller und Wilhelm Ehlers

Deutscher Taschenbuch Verlag

Inhaltsverzeichnis

Für diese Taschenbuchausgabe der Cena Trimalchionis wurden
Text und Übersetzung revidiert, der kritische Apparat erweitert,
Einführung und Anhänge ganz oder teilweise neu gefaßt.

Deutscher Taschenbuch Verlag GmbH & Co. KG, München
(1979) 11.–13.Tausend Mai 1982
Ausgabe mit Lizenz des Heimeran Verlages nach der Tusculum-
Ausgabe Petronius, Satyrica/Schelmengeschichten
© 1965, 2. Auflage 1978, Ernst Heimeran Verlag, München
Umschlagentwurf: Celestino Piatti
Gesamtherstellung: Kösel, Kempten
Printed in Germany. ISBN 3-423-09148-7

„Innerhalb weniger Tage kamen in einem Zuge Annaeus Mela, Cerialis Anicius, Rufrius Crispinus und T. Petronius zu Fall. . . . Über Petronius muß ein wenig weiter ausgeholt werden: Bei ihm verging der Tag mit Schlaf, die Nacht unter Geschäften und Zerstreuungen des Lebens; und wie andere durch Fleiß, so hatte er sich durch Müßiggang einen Namen gemacht, wobei er nicht als Schlemmer und Prasser galt wie die meisten, die ihre Habe durchbringen, sondern als Mann von kultiviertem Aufwand. Auch was er tat und sprach, wurde, je lockerer es war und ein gewisses Sichgehenlassen zur Schau trug, um so bereitwilliger als Ausdruck eines natürlichen Wesens aufgefaßt. Doch zeigte er sich als Prokonsul von Bithynien und dann als Konsul energisch und seinen Aufgaben gewachsen. Als er später wieder dem Lasterleben oder der Kopie eines Lasterlebens verfiel, wurde er von Nero zum engsten Vertrautenkreis gezogen, als oberste Instanz in Fragen des erlesenen Geschmacks *(arbiter elegantiae)*: schien doch jenem nichts reizvoll und von behaglicher Üppigkeit zu sein, was Petronius ihm nicht empfohlen hatte. Grund zum Neid für Tigellinus, als wäre der andere sein Konkurrent und ihm als erfahrener Lebemann überlegen. Also zielt er auf die Grausamkeit des Fürsten, hinter der seine sonstigen Süchte zurücktraten, warf jetzt dem Petronius Freundschaft mit Scaevinus vor und bestach einen Sklaven, ihn zu denunzieren, wobei er eine Verteidigung unterband und den Großteil der Dienerschaft in Ketten schlug. Der Kaiser hatte sich in jenen Tagen gerade nach Campanien begeben, und als Petronius bis Cumä gelangt war, wurde er dort in Gewahrsam gehalten. Da trug er es nicht länger, Furcht oder Hoffnung sich hinziehen zu sehen. Aber er stieß auch nicht blindlings das Leben von sich, nein: die Pulsadern wurden aufgeschnitten, beliebig abgebunden und wieder geöffnet unter Worten an die Freunde, nicht in ernsten

Tönen oder so, daß er sich damit Standhaftigkeit nachrühmen lassen wollte. Auch ließ er sich nichts von der Unsterblichkeit der Seele und von Philosophenlehren vortragen, sondern leichte Lieder und gefällige Verse. Von seinen Sklaven bedachte er manche mit reicher Spende, einige mit Prügelstrafen. Er ging zur Tafel, überließ sich dem Schlaf, um seinen wenngleich erzwungenen Tod einem natürlichen anzugleichen. Nicht einmal mit seinem Testament schmeichelte er sich, wie die meisten im Augenblick des Untergangs, bei Nero oder Tigellinus oder irgendeinem anderen Machthaber ein, zeichnete vielmehr die Schandtaten des Fürsten unter Nennung der Lustknaben und Weiber sowie das Ungeheuerliche der jeweiligen Unzucht auf und schickte die Schrift versiegelt an Nero; auch zerbrach er seinen Ring, damit er nicht hernach Verwendung fände, um Anschläge zu bewerkstelligen. Als Nero sich fragt, wie denn die Raffinessen seiner Nächte unter die Leute kämen, fällt ihm Silia ein, die als Senatorenfrau einen gewissen Namen hatte und ebenso von ihm selbst zu jeder Ausschweifung herangezogen wurde wie sie mit Petronius eng befreundet war. Sie wird in Verbannung geschickt, als habe sie nicht verschwiegen, was sie gesehen und geduldet hatte – aus persönlichem Haß.«

So berichtet Tacitus in seinen ›Annalen‹ (16,17,1. 18,1 ff.) zum Jahre 66 n. Chr., und andere Zeugen bieten ergänzende Details: Petron soll einst in raffinierter Schmeichelei die Verschwendungssucht des Kaisers als „Krämergeist und Filzigkeit" bespöttelt und vor seinem Tod eine wertvolle Schöpfkelle zerbrochen haben, um sie Neros Zugriff zu entziehen. Daß der so faszinierend geschilderte *arbiter elegantiae* mit unserem Petronius Arbiter gleichzusetzen ist, darf als sicher gelten: jene Charakteristik – eine Folie zu dem Philosophen Seneca, der gleichfalls Nero zum Opfer gefallen war (Tacitus a. O. 15,60,2 ff.) – paßt vorzüglich zu dem Bild, das wir uns von dem Autor machen möchten, und zahlreiche Spuren weisen untrüglich genug darauf hin, daß das Buch der Zeit Neros angehört.

Petrons Persönlichkeit ist einem breiten Publikum aus dem ehemals berühmten und mit dem Nobelpreis ausgezeichneten Nero-Roman von H. Sienkiewicz vertraut ('Quo vadis', 1896). Aber dieses Porträt eines kaltblütigen Höflings und Lebemanns mutet uns heute bläßlich an. Die verschlüsselten Andeutungen des Historikers ebenso wie das in allen Farben schillernde Werk selbst sprechen eine unvergleichlich lebendigere Sprache.

Das ‚Gastmahl bei Trimalchio' bildet Mitte und Hauptpartie der Bruchstücke, die sich von Petrons Roman ‚Schelmengeschichten' (Satyricōn libri oder Satyrica, wörtlich etwa ‚Satyrspäße') erhalten haben. Die Gesamthandlung spielt, soweit sich erkennen läßt, ganz oder doch vorwiegend im großgriechischen Unteritalien etwa zur Zeit des Autors selbst. Ihr Held und Erzähler ist ein gebildeter junger Mann namens Enkolpius, der sich ebenso für darstellende Kunst und für Literatur wie für Kunstkritik interessiert, bald mit dem Rhetor Agamemnon, bald mit dem Dichter Eumolpus (‚Sangeskünstler') verkehrt, aber außerhalb der bürgerlichen Ordnung lebt und vor allem, wie sein Name anzudeuten scheint, gern ‚am Busen liegt', nicht nur bei seinem ständigen Begleiter Giton (wohl ‚Nachbar'), sondern bei allen möglichen Personen beiderlei Geschlechts, denen er begegnet. Zwischen manigfachen amourösen Abenteuern und Schelmenstreichen begleitet er mit Giton und einem weiteren Kumpan namens Askyltos (‚Unermüdlich', zweifellos sexuell) jenen Agamemnon zu einer Gasterei, die ein Parvenü in einer campanischen Küstenstadt, vermutlich dem heutigen Pozzuoli, für seine Freunde veranstaltet. Der Gastgeber Trimalchio stammt aus Kleinasien und trägt einen halb orientalischen Namen. Er und seine Gäste sind Freigelassene, d. h. ehemalige Sklaven und als solche ihrer Herkunft nach gewiß größtenteils Ausländer: sie reden also nicht nur ein unkorrektes Latein, sondern zeigen amüsante Bildungslücken und verbinden eine primitive Denkart mit dem Geltungsbedürfnis, das Emporkömmlingen immer und überall zu eigen ist.

Die Tischgespräche dieser ungebildeten Leute gelten der Fachwelt mit Recht als eine einzigartige Fundgrube für die Redeweise unterer Schichten in der frühen Kaiserzeit. Doch bleibt zu beachten, „daß Petron nicht das Ideal vorschwebte und vorschweben konnte wie einem modernen Feuilletonisten, wenn er etwa den niederen Gesprächston zweier plaudernder Marktweiber bis zur phonetischen Treue der Laute und des Dialektes wiedergibt" (J. B. Hofmann). Vielmehr lehrt ein Vergleich mit den Wandkritzeleien von Pompeji, daß die unliterarische Sprache hier in literarischer Brechung erscheint: Kunstgattung und künstlerische Einheit zu wahren, somit den Realismus in angemessener Weise zu dosieren, bildet ein wesentliches Prinzip nicht nur antiken Stils, sondern klassischer Diktion überhaupt (der heutige Leser mag etwa an Fontane denken). Wortwahl und Wortformen zeigen daher nur sporadisch einen ausgesprochen vulgären Charakter; dieser verdichtet sich erst in affektischer Schimpfrede und treibt dort ein lustiges Wesen, wo der Ungebildete sich an den Gebildeten wendet („Du lachst über dem Plebs seine Worte" usw.) oder seine eigene Bildung herauskehrt („Bildung ist das beste Tresor"; „damit du nicht denkst, ich mache mich nichts aus Bildung"). Abweichungen von üblicher Grammatik sind bisweilen weniger Schnitzer als Freizügigkeiten, wie eine um Normen unbekümmerte Volkssprache sie zuläßt, auch in Übereinstimmung mit archaischer und poetischer Ausdrucksweise. Unauffällig ergibt sich ein umgangssprachliches Kolorit, wenn die Wortwahl den damals beginnenden Übergang ins Romanische widerspiegelt. So ist etwa *flere* „weinen" bereits ganz durch *plangere* oder *plorare* ersetzt, und *edo* „ich esse" klingt neben dem jetzt üblichen *comedo* oder *manduco* im Munde Halbgebildeter erheiternd gestelzt wie unser „speisen". Aber der eigentliche Volkston wird vor allem durch die Phrasierung erreicht. Man spricht kurzatmig, assoziativ, in kräftigen Bildern und Gemeinplätzen, zudem mit stereotypen Wiederholungen, die von Wortarmut zeugen, aber auch eine impertinente Aufdringlichkeit bekunden. Seine Verachtung faßt Echion wiederholt in das Wort „Fünferkopf", Hermeros sagt in gleichem Sinne „keine drei Groschen wert" und wirft im übrigen gern mit „Zaster" um sich; als Kraftwort der Bewunderung liebt Ganymedes *leones* („Bärenkerle"); weiterhin heißt es ständig „trotzdem", „na", „eben", „warte", „schon recht", und Nikeros verfügt überhaupt nur über ein ausgesprochen einförmiges Vokabular. Sehr bedachtsam sind damit kleine individuelle Nuancen gesetzt, wo im ganzen nach antiker Art mehr der Typ eingefangen als eine Differenzierung seiner Vertreter angestrebt wird (dagegen vergleiche man beispielsweise wieder Fontane, etwa „Irrungen, Wirrungen" mit den verschiedenen Charakter-Schattierungen im einfachen Milieu). Auch die Gesamtstruktur der Reden ist weniger nach Persönlichkeiten als nach Situationen unterschieden: Hermeros' erste Rede steht den anderen Klatschgeschichten näher als seinen gegen Askyltos und Giton gerichteten Ausfällen, deren vulgäres Gekeif sich eher mit Trimalchios Scheltrede auf seine Frau berührt; einige von dessen erzählenden Partien haben die wechselnden Zeitstufen mit der freilich noch weit unruhigeren Werwolfgeschichte jenes Nikeros gemein; wenn der gleiche Trimalchio sich eifrig über ein unpassendes Thema verbreitet, fallen Gedankensprünge auf, und seine weinerlichen Anweisungen für sein Grabmonument benützen inschriftliche Diktion.

Aber der Reiz unseres Textes erschöpft sich weder im Sprachlichen noch in dem Anschauungsmaterial, das wir für Leben und Treiben einer bestimmten Gesellschaftsschicht in ferner Vergangenheit überhaupt gewinnen. Im griechischen Titel des Gesamtwerks klang für römische Ohren *satura* ‚Satire' an, also eine literarische Gattung, in der man Horaz zufolge „Wahres lachend sagte", indem man sich über Menschlich-Allzumenschliches zugleich moralisierend und in überlegener

Heiterkeit erging: in unserer Zeit könnten wir das Werk wohl eine ‚Comédie humaine' nennen und damit eine Brücke schlagen von charmanter Frivolität im alten Rom zu romanischem Esprit.

Unser Werkteil, als Ganzes erst vor wenig mehr als 300 Jahren entdeckt, macht etwa ein Drittel der erhaltenen Fragmente aus. Die Überlieferung läßt erkennen, daß er das 15. Buch des Romans bildete oder wenigstens beherrschte, dieser also den vielfachen Umfang hatte. Im einzelnen ist der Zusammenhang manchmal durch Textlücken zerrissen, und alle Versuche, den Ablauf des Gesamtwerks zu rekonstruieren, sind zwar reizvoll, aber unverbindlich.

In der Neuzeit fand Petrons Roman ein breiteres Interesse zuerst auf französischem Boden, wo etwa R. de Bussy-Rabutin mehrere Teile für eine Skandalchronik der Hofgesellschaft auswertete (‚Histoire amoureuse des Gaules', 1665). Das ‚Gastmahl' wurde, wie Leibniz brieflich berichtet, im Karneval am Hofe von Hannover 1702 aufgeführt und begeistert aufgenommen, ebenso bei entsprechenden Veranstaltungen unter dem Regenten Ludwigs XV. und unter Friedrich dem Großen. Die Nachgestaltung des jungen Wilhelm Heinse gewann das Werk – einschließlich der Ergänzungen, die gegen Ende des 17. Jahrhunderts angeblich in einer vollständigen Handschrift gefunden wurden, aber gefälscht sind – für die deutsche Literatur (‚Begebenheiten des Enkolp', 1773). Der Erfolg dieses Buches lag freilich nicht im Sinne seines Verfassers: nach einem Schöpferrausch von nur wenigen Wochen war ihm das „Ungesittete" der „verdammten Übersetzung" so leid oder durch andere verleidet, daß er die Verantwortung auf einen mysteriösen Mitarbeiter abzuwälzen suchte. Es folgte dann eine prüde Zeit, die Petron nicht günstig war. Erst der führende Latinist F. Bücheler (1837–1908), der mit seiner großen Ausgabe 1862 das wissenschaftliche Fundament für alle spätere Arbeit legte, hat – anfangs unter geistlichem Störfeuer – diesem ungezogenen Liebling der Grazien auch bei uns Heimatrecht verschafft. „Es gibt nichts Verkehrteres auf der Welt als dumme Borniertheit und nichts Dümmeres als scheinheilige Muckerei", sagt Petron einmal selbst.

Heute ist das geniale Werk nicht nur Studienobjekt und Entzücken aller Fachleute – amerikanische Philologen haben vor mehreren Jahren eine internationale Petronian Society ins Leben gerufen –, sondern behauptet seinen Platz in der Weltliteratur. In freier Paraphrase und Erweiterung wurde es 1969 von F. Fellini verfilmt (‚Fellini Satyricon' im Gegensatz zu einem fast gleichzeitig entstandenen Streifen von G. Polidoro).

Die hier abgedruckte deutsche Wiedergabe sucht ihre eigenen Wege, hat aber gelungene Einzelwendungen gern und unbedenklich von fremder Hand übernommen; dies gilt insbesondere für die zuletzt maßgebenden Übertragungen von L. Friedländer und O. Weinreich. Eine Neuerung ist der Versuch, die sogenannten vulgären Partien insgesamt auch vulgär zu übersetzen. Die Schwierigkeiten liegen nach dem oben Gesagten auf der Hand: mit Vulgarismen und Verballhornungen ist es nicht getan, die Grenzen zur Umgangssprache bleiben fließend, grobe Elemente mischen sich mit nur saloppen, volkstümliche mit mehr urbanen, altertümliche mit modernen. Wer diese stilisierte Vulgarität im Rahmen des überhaupt Erreichbaren nachbilden möchte, wird manches verfälschen oder verfehlen. Aber versucht nicht jeder Übersetzer das Unmögliche? Wenn er gerade hier kapituliert, bringt er sich und den Leser um die Möglichkeit, das reizende Widerspiel zwischen der Sprache des gebildeten Berichterstatters und dem Jargon der geschilderten Gesellschaft wenigstens im Abglanz zu erfassen. Der beigegebene lateinische Text versteht sich nicht als Urväter-Hausrat: der Benützer soll sich von der Übersetzung anregen lassen, zum Original hinüberzuschauen und dessen unnachahmliche Eleganz im Vergleich auszukosten.

7   Venerat iam tertius dies, id est expectatio liberae *H*
cenae, sed tot vulneribus confossis fuga magis place-
8 bat quam quies. itaque cum maesti deliberaremus quo-
nam genere praesentem evitaremus procellam, unus
9 servus Agamemnonis interpellavit trepidantes et 'quid
vos?' inquit 'nescitis, hodie apud quem fiat? Trimalchio, lautissimus homo ⟨*⟩ horologium in triclinio et
bucinatorem habet subornatum, ut subinde sciat quan-
10 tum de vita perdiderit'. amicimur ergo diligenter obliti
omnium malorum, et Gitona libentissime servile officium tuentem [usque hoc] iubemus in balneum sequi
⟨*⟩
27 nos interim vestiti errare coepimus, immo iocari magis
et circulis ludentium accedere, cum subito | videmus *HL*
senem calvum, tunica vestitum russea, inter pueros
2 capillatos ludentem pila. nec tam pueri nos, quamquam
erat operae pretium, ad spectaculum duxerant, quam
ipse pater familiae, qui soleatus pila prasina exerceba-
tur. nec amplius eam repetebat quae terram contigerat,
sed follem plenum habebat servus sufficiebatque lu-
3 dentibus. notavimus etiam res novas. nam duo spa-
dones in diversa parte circuli stabant, quorum alter
matellam tenebat argenteam, alter numerabat pilas,
non quidem eas quae inter manus lusu expellente vibra-
4 bant, sed eas quae in terram decidebant. cum has ergo
miraremur lautitias, | accurrit Menelaus et 'hic est' *H*
inquit 'apud quem cubitum ponitis, et quidem iam
5 principium cenae videtis'. etiamnum loquebatur Me-
nelaus, cum | Trimalchio digitos concrepuit, ad quod *HL*

26,9 *lac. ind. Strelitz*   10 usque hoc *del. Heraeus*   balneum
Bücheler: -neo   *lac. ind. Friedländer*   27,1 ludentium *Hein-*
sius: -tem   2 eam amplius *L*   4 miramur *H*   quidem *Bü-*
cheler: quid   5 etiamnum *Scheffer*: et iam non   Trimalcio
lautissimus homo *L*

Schon war der dritte Tag da, und das hieß: Aussicht auf ein zwangloses Souper. Aber weil wir aus manchen Wunden bluteten, lag uns mehr an Flucht als an Ruhe. Als wir daher trübselig überlegten, auf welche Art wir wohl dem gegenwärtigen Sturm entgehen könnten, platzte irgendein Sklave Agamemnons in die bange Runde und sagte: „Was ist mit euch? Wißt ihr nicht, bei wem es heute etwas gibt? Trimalchio, ein ganz feudaler Mann. . . . Eine Uhr hat er im Speisesaal und einen als Signalhornist ausgerüsteten Mann, damit er immer wieder weiß, wieviel er von seinem Leben eingebüßt hat." Wir vergessen also alles Leid, kleiden uns sorgfältig an und sagen zu Giton, der mit Vergnügen Sklavendienst versah, er solle uns ins Bad folgen. . . . Selber begannen wir einstweilen, noch angezogen umherzuschlendern, richtiger gesagt, Kurzweil zu treiben und uns an Spielergruppen anzuschließen, als wir plötzlich einen alten Kahlkopf erblicken, der in roter Tunika unter Burschen mit langem Haar Ball spielte. Dabei hatten nicht so sehr die Burschen, obwohl es sich gelohnt hätte, unsere Augen auf sich gezogen als der Hausvorstand selbst, der in Sandalen mit grünen Bällen übte. Und wenn einer davon den Boden berührt hatte, verwendete er ihn nicht weiter, sondern ein Sklave hielt einen vollen Beutel bereit und versorgte die Spieler. Weiter fiel uns als seltsam auf, daß zwei Eunuchen auf den entgegengesetzten Seiten der Gruppe standen, von denen der eine einen silbernen Nachttopf in der Hand hielt, der andere die Bälle zählte, aber nicht die, die im Prellspiel von Hand zu Hand flogen, sondern die, die zu Boden fielen. Als wir also diese Finessen bewunderten, kam Menelaus gelaufen und sagte: „Das ist der Mann, bei dem ihr zu Tische liegt, und zwar habt ihr bereits die Einleitung zum Souper vor Augen." Menelaus sprach noch, als Trimalchio mit den Fingern schnippte, zum Zeichen für den Eunuchen, ihm mitten im Spiel den Nacht-

6 signum matellam spado ludenti subiecit. exonerata ille *HL*
vesica aquam poposcit ad manus, digitosque paululum
adspersos in capite pueri tersit ⟨*⟩

28 longum erat singula excipere. itaque intravimus balneum, et sudore calfacti momento temporis ad frigi-
2 dam eximus. iam Trimalchio unguento perfusus terge-
batur, non linteis, sed palliis ex lana mollissima factis.
3 tres interim iatraliptae in conspectu eius Falernum
potabant, | et cum plurimum rixantes effunderent, *H*
4 Trimalchio hoc suum propin esse dicebat. | hinc invo- *HL*
lutus coccina gausapa lecticae impositus est praeceden-
tibus phaleratis cursoribus quattuor et chiramaxio, in
quo deliciae eius vehebantur, puer vetulus, lippus,
5 domino Trimalchione deformior. cum ergo auferretur,
ad caput eius cum minimis symphoniacus tibiis accessit
et tamquam in aurem aliquid secreto diceret, toto iti-
nere cantavit.
6 ˙ sequimur nos admiratione iam saturi et cum Aga-
memnone ad ianuam pervenimus, | in cuius poste *H*
7 libellus erat cum hac inscriptione fixus: 'quisquis servus sine dominico iussu foras exierit, accipiet plagas
8 centum'. | in aditu autem ipso stabat ostiarius prasina- *HL*
tus, cerasino succinctus cingulo, atque in lance argen-
9 tea pisum purgabat. super limen autem cavea pendebat
29 aurea, in qua pica varia intrantes salutabat. ceterum
ego dum omnia stupeo, paene resupinatus crura mea
fregi. ad ˙sinistram enim intrantibus non longe ab
ostiarii cella canis ingens, catena vinctus, in pariete
erat pictus superque quadrata littera scriptum 'cave

27,5 subiecit *H*: supposuit *L*   6 *lac. ind. Bücheler*   **28,1**
calefacti *L*   2 mollissima lana *L*   3 potabant *H*: bibebant
L   propin esse *Heraeus*: propinasse   4 uehebantur *H*: fereb-
L   6 iam admiratione *L*   8 autem *om. L*   lance *om. H*
29,1 caue caue canem *L*

14

topf unterzuhalten. Als er seine Blase entleert hatte, ließ er Wasser für die Hände kommen, benetzte ein wenig seine Finger und wischte sie am Kopf des Burschen ab. ...

Es hätte zu lange gedauert, alle Einzelheiten in sich aufzunehmen. So betraten wir die Baderäume, schwitzten uns heiß und gingen augenblicklich zur kalten Dusche weiter. Trimalchio, von Parfüm triefend, ließ sich schon abtrocknen, nicht mit Leintüchern, sondern mit Frotteedecken aus samtweicher Wolle. Unterdessen zechten seine Masseure zu dritt vor seinen Augen Falernerwein, und wenn sie im Streit eine Überschwemmung anrichteten, sagte Trimalchio, das sei sein Apéritif. Dann hüllte man ihn in einen pelzgefütterten Scharlachmantel und hob ihn in seine Sänfte. Vor ihm zogen vier Läufer mit Brustschilden und ein Handwägelchen, in dem sein Schatz saß, ein schon ältlicher Knabe, triefäugig, noch häßlicher als sein Herr Trimalchio. Während dieses Heimgeleits ist ihm ein Musikant mit einer Miniaturflöte zu Häupten gegangen und hat, als ob er ihm etwas ins Ohr raune, auf dem ganzen Weg geblasen!

Wir selber, schon vor Bewunderung platzend, folgen und langen mit Agamemnon bei seiner Haustür an, an deren einem Pfosten ein Schild mit folgendem Text befestigt war: „Jeder Sklave, der ohne herrschaftlichen Auftrag nach auswärts geht, erhält hundert Hiebe." Am Eingang selbst aber stand ein Portier in grüner Livree mit einem kirschfarbenen Gürtel um die Hüften und palte Erbsen in einer silbernen Schüssel. Über der Schwelle aber hing ein goldenes Vogelbauer, in dem eine scheckige Elster saß und die Eintretenden willkommen hieß. Im übrigen wäre ich selber, während ich alles bestaunte, fast hintüber gefallen und hätte mir die Beine gebrochen. Denn links vom Eingang war unfern der Portierloge ein riesiger Kettenhund an die Wand gemalt, und darüber stand in Großbuchstaben: WARNUNG

2 canem'. et collegae quidem mei riserunt, ego autem *HL*
  collecto spiritu non destiti totum parietem persequi.
3 erat autem venalicium ⟨cum⟩ titulis pictum, et ipse
  Trimalchio capillatus caduceum tenebat Minervaque
4 ducente Romam intrabat. hinc quemadmodum ratio-
  cinari didicisset deinque dispensator factus esset,
  omnia diligenter curiosus pictor cum inscriptione red-
5 diderat. in deficiente vero iam porticu levatum mento
6 in tribunal excelsum Mercurius rapiebat. praesto erat
  Fortuna ⟨cum⟩ cornu abundanti [copiosa] et tres
7 Parcae aurea pensa torquentes. notavi etiam in porticu
8 gregem cursorum cum magistro se exercentem. praeterea grande armarium in angulo vidi, in cuius aedicula
  erant Lares argentei positi Venerisque signum marmoreum et pyxis aurea non pusilla, in qua barbam ipsius
  conditam esse dicebant   ⟨*⟩
9   interrogare ergo atriensem coepi, quas in medio
  picturas haberent. 'Iliada et Odyssian' inquit | 'ac Lae- *H*
30 natis gladiatorium munus'. non licebat †multaciam†
   considerare   ⟨*⟩
     nos | iam ad triclinium perveneramus, in cuius parte *HL*
  prima procurator rationes accipiebat. et quod praecipue miratus sum, in postibus triclinii fasces erant
  cum securibus fixi, quorum imam partem quasi embo-
  lum navis aeneum finiebat, in quo erat scriptum:
2 'C. Pompeio Trimalchioni, seviro Augustali, Cinnamus
3 dispensator'. sub eodem titulo et lucerna bilychnis de
  camera pendebat. ⟨erant⟩ et duae tabulae in utroque

    29,2 mei quidem *H*   **3** cum *add. Burmannus*   Romam *H*:
tema *fere L*   **4** deinque *H*: dein *L*   **6** cum *add. Wehle*
copiosa *del. Goesius*   **8** marmoreum positum et *H*   *lac. ind.*
Bücheler   **9** ergo *H*: ego *L*   **30,1** multaciam] mihi ulteriora
etiam *temptavi   lac. ind. Bücheler*   ueneramus *L*   imam
Muretus: unam   **3** et lucerna *H*: etiam l- *L*   erant *add. Bü-*
cheler

VOR DEM HUNDE. Nun, meine Herren Kollegen lachten, aber ich selber ließ mich nicht abhalten, als ich die Fassung wiederhatte, die Wand von oben bis unten zu durchmustern: Es war ein Sklaventrupp mit Beischriften dargestellt und Trimalchio selbst, wie er in langem Knabenhaar, den Merkurstab in der Hand und von Minerva geleitet, in Rom einzog. Wie er weiterhin Buchführung lernte und dann Kassierer wurde, das hatte der umsichtige Maler alles genau mit Text abgebildet. Aber das Ende der Halle zeigte schließlich, wie ihn Merkur unter das Kinn faßte und hoch auf die Ehrentribüne entführte. Es fehlte nicht Fortuna mit überquellendem Füllhorn und, goldene Fäden zwirbelnd, die drei Parzen. Weiter fiel mir in der Halle eine Gruppe von Läufern auf, die mit ihrem Sportlehrer trainierten. Außerdem sah ich einen mächtigen Schrein in der Ecke, in dessen Kapellchen silberne Laren standen und ein Venusbild aus Marmor sowie eine nicht eben winzige goldene Büchse, in der, wie es hieß, der erste Bart des Hausherrn ruhte. ...

Ich tat also an den Hausmeister die Frage, was für Gemälde sie im Mittelteil hätten. „Ilias und Odyssee", sagte er, „und das Fechterspiel des Länas." Es war mir nicht möglich, auch das Weitere anzusehen. ...

Wir waren endlich zum Speisesaal gelangt, in dessen Vorraum ein Geschäftsführer Abrechnungen entgegennahm. Und was mich besonders staunen machte: an den Pfosten des Speisesaals waren Rutenbündel mit Beilen angebracht, die unten eine Art bronzener Schiffsschnabel abschloß, der den Text enthielt: „Seinem C. Pompejus Trimalchio, Mitglied des Sechserrats für den Augustuskult. Cinnamus, Kassierer." Mit gleicher Inschrift hing auch eine zweiflammige Ampel von der Decke. Auch waren zwei Tafeln an

poste defixae, quarum altera, si bene memini, hoc *HL*
habebat inscriptum: 'III. et pridie kalendas Ianuarias
4 C. noster foras cenat', altera lunae cursum stellarum-
que septem imagines pictas; et qui dies boni quique
incommodi essent, distinguente bulla notabantur.
5 | his repleti voluptatibus cum conaremur in tricli- *H*
nium intrare, exclamavit unus ex pueris, qui supra
6 hoc officium erat positus: 'dextro pede'. sine dubio
paulisper trepidavimus, ne contra praeceptum aliquis
7 nostrum limen transiret. | ceterum ut pariter movimus *HL*
dextros gressus, servus nobis despoliatus procubuit
ad pedes ac rogare coepit, ut se poenae eriperemus:
nec magnum esse peccatum suum, propter quod peri-
8 clitaretur; subducta enim sibi vestimenta dispensatoris
9 in balneo, quae vix fuissent decem sestertiorum. ret-
tulimus ergo dextros pedes dispensatoremque in
oecario aureos numerantem deprecati sumus, ut
10 servo remitteret poenam. superbus ille sustulit vultum et 'non tam iactura me movet' inquit 'quam neg-
11 legentia nequissimi servi. vestimenta mea cubitoria
perdidit, quae mihi natali meo cliens quidam dona-
verat, Tyria sine dubio, sed iam semel lota. quid ergo
est? dono vobis eum'.
31 obligati tam grandi beneficio cum intrassemus triclinium, occurrit nobis ille idem servus, pro quo roga-
veramus, et stupentibus spississima basia impegit gra-
2 tias agens humanitati nostrae. 'ad summam, statim

30,7 pariter *om. L*   ante pedes *L*   8 decem] $\overline{X}$ *l*   9 oecario *Heraeus*: precario *HL*: promptuario *Zicàri*: thecario *Giar-
dina*   ut *om. L*   11 donauerat cliens quidam *L*   eum *om.*
L   31,1 spississima basia stupentibus *L*

beiden Pfosten befestigt, von denen die eine, wenn ich mich recht erinnere, den Text bot: „Am 30. und 31. Dezember speist unser Herr Gajus auswärts", während die andere die Bahn des Mondes und die sieben Planetenbilder darstellte; auch was ein Glückstag war und was ein ungünstiges Datum, wurde durch unterschiedliche Knöpfe bezeichnet.

Von diesen Ergötzlichkeiten eingenommen, wollten wir in den Speisesaal hineingehen, als ein mit dieser Aufgabe betrauter Bursche ausrief: „Mit dem rechten Fuß!" Natürlich trippelten wir ein Weilchen auf der Stelle, damit ja keiner von uns die Schwelle vorschriftswidrig überschreite. Als wir dann gleichzeitig rechts antraten, fiel uns mit entblößtem Rücken ein Sklave zu Füßen und hob zu bitten an, wir möchten ihn vor seiner Strafe retten: es sei auch kein schweres Vergehen, dessentwegen er etwas gewärtigen müsse; man habe ihm nämlich in der Badeanstalt die Kleider des Kassierers gestohlen, die kaum zehn Groschen wert gewesen seien. Wir zogen also unsere rechten Füße wieder zurück, um uns bei dem Kassierer, der in seiner Loge Goldstücke zählte, dafür zu verwenden, er möchte dem Sklaven die Strafe erlassen. Der setzte eine hochnäsige Miene auf und sagte: „Der Schaden regt mich weniger auf als die Fahrlässigkeit des Sklaven, der ein ganzer Taugenichts ist. Er hat mich um meine Gesellschaftsgarnitur gebracht, die mir jemand von meinen Schützlingen zum Geburtstag geschenkt hatte, Importware natürlich, aber schon einmal gewaschen. Also was solls? Ihr könnt ihn haben."

Wir zeigten uns für einen derart großzügigen Gunstbeweis verpflichtet und betraten den Speisesaal. Da kam uns eben der Sklave von vorhin, für den wir ein Wort eingelegt hatten, entgegen und ließ zum Dank für unsere Freundlichkeit einen solchen Kußregen auf uns niederprasseln, daß wir fassungslos waren. „Kurz und gut, gleich werdet ihr merken", sagte er, „wem ihr eine Gnade erwiesen habt.

scietis' ait 'cui dederitis beneficium. vinum dominicum HL
ministratoris gratia est'.

3   tandem ergo discubuimus pueris Alexandrinis
aquam in manus nivatam infundentibus aliisque inse-
quentibus ad pedes ac paronychia cum ingenti subtili-
4 tate tollentibus. ac ne in hoc quidem tam molesto tace-
5 bant officio, sed obiter cantabant. ego experiri volui
an tota familia cantaret, itaque potionem poposci.
6 paratissimus puer non minus me acido cantico excepit,
7 et quisquis aliquid rogatus erat ut daret: pantomimi
8 chorum, non patris familiae triclinium crederes. allata
est tamen gustatio valde lauta; nam iam omnes dis-
cubuerant praeter unum Trimalchionem, cui locus
9 novo more primus servabatur. ceterum in promulsi-
dari asellus erat Corinthius cum bisaccio positus, qui
habebat olivas in altera parte albas, in altera nigras.
10 tegebant asellum duae lances, in quarum marginibus
nomen Trimalchionis inscriptum erat et argenti pondus. ponticuli etiam ferruminati sustinebant glires
11 melle ac papavere sparsos. fuerunt et tomacula ferven-
tia supra craticulam argenteam posita, et infra craticulam Syriaca pruna cum granis Punici mali.

32   in his eramus lautitiis, cum ipse Trimalchio ad symphoniam allatus est positusque inter cervicalia muni-
2 tissima expressit imprudentibus risum. pallio enim
coccineo adrasum excluserat caput circaque oneratas
veste cervices laticlaviam immiserat mappam fimbriis
3 hinc atque illinc pendentibus. habebat etiam in minimo

31,6 daret *del. Gaselee: an* ut daret *delenda?*   7 panthomimi
chorum *H*: pantomimorum *L*   8 tamen *H*: tum *L*: tandem *Heinsius*   unum *H*: ipsum *L*   10 melle ac *H*: m- et *L*   11 fer-
uentia *hic posuit t^m, ante* argenteam *habent HL*   32,1 minutis-
sima *L*   2 excluserat *H*: incl- *fere L*: exeruerat *Stöcker*

Wein, wie ihn der Hausherr trinkt, ist der Dank des Servierdieners."

Endlich also nahmen wir unsere Plätze ein, während uns Buben aus Alexandria schneegekühltes Wasser auf die Hände gossen und andere sich gleich danach an unsere Füße machten, um uns mit ungeheurer Gründlichkeit die Nietnägel zu beseitigen. Und nicht einmal bei diesem überaus mühsamen Geschäft waren sie still, sondern sangen nebenher ein Lied. Ich wollte ausprobieren, ob die ganze Dienerschaft Lieder singe, und verlangte also etwas zu trinken. Auf das zuvorkommendste bediente mich ein Bursche gleichfalls zu einer schrillen Arie, und so ging es bei jedem, der um irgend eine Handreichung gebeten wurde: man hätte meinen können, in einem Tingeltangel zu sein, nicht im Speisesaal eines Hausvorstandes. Doch wurde jetzt eine sehr delikate Vorspeise aufgetragen; denn schon hatten alle Platz genommen, mit Ausnahme allein von Trimalchio, dem ein seltsamer Ehrenplatz freigehalten wurde. Übrigens stand auf dem Hors d'œuvres-Tablett eine Eselsstatuette aus korinthischer Bronze mit einem Quersack, der auf der einen Seite weiße, auf der anderen schwarze Oliven trug. Das Eselchen flankierten zwei Schüsseln, auf deren Rändern der Name Trimalchios eingraviert war und das Silberkarat. Dazu trugen gelötete Stege Siebenschläfer mit einem Überguß von Honig und Mohn. Es gab auch heiße Würstchen über einem silbernen Grill, und unter dem Grill lagen syrische Pflaumen mit Granatkernobst.

Wir waren bei diesen Delikatessen, als Trimalchio in Person unter Orchestermusik hereingetragen wurde und uns, wie er zwischen prall gestopften Kissen dalag, unwillkürlich losplatzen ließ. Denn aus dem Scharlachmantel hatte er seinen ausrasierten Kopf herausgestreckt und um den tuchbeschwerten Nacken eine Serviette mit breiter roter Borte geschlagen, deren Fransen hüben und drüben herab-

digito sinistrae manus anulum grandem subauratum, *HL*
extremo vero articulo digiti sequentis minorem, ut
mihi videbatur, totum aureum, sed plane ferreis veluti
4 stellis ferruminatum. et ne has tantum ostenderet divi-
tias, dextrum nudavit lacertum armilla aurea cultum
33 et eboreo circulo lamina splendente conexo. ut deinde
pinna argentea dentes perfodit, 'amici,' inquit 'nondum mihi suave erat in triclinium venire, sed ne diutius absentivus morae vobis essem, omnem volupta-
2 tem mihi negavi. permittitis tamen finiri lusum'. seque-
batur puer cum tabula terebinthina et crystallinis tes-
seris, notavique rem omnium delicatissimam. pro cal-
culis enim albis ac nigris aureos argenteosque habebat
3 denarios. interim dum ille omnium textorum dicta
inter lusum consumit, gustantibus adhuc nobis repositorium allatum est cum corbe, in quo gallina erat lignea
patentibus in orbem alis, quales esse solent quae incu-
4 bant ova. accessere continuo duo servi et symphonia
strepente scrutari paleam coeperunt erutaque subinde
5 pavonina ova divisere convivis. convertit ad hanc
scaenam Trimalchio vultum et 'amici,' ait 'pavonis ova
gallinae iussi supponi. et mehercules timeo ne iam
concepti sint; temptemus tamen, si adhuc sorbilia
6 sunt.' accipimus nos cochlearia non minus selibras
pendentia ovaque ex farina pingui figurata pertundimus.
7 ego quidem paene proieci partem meam, nam videba-

32,4 conexo *Bücheler*: connexum   33,1 triclinium absens more
uobis uenire sed ne diutius absenti uos essem *H*: tr- uen- sed ne
diutius absentius essem *fere L*: *corr. Heinsius*   omnem *om. H*
2 albis *om. H*   ac nigris *H*: aut n- *L*   3 omnia *Heinsius*
dicta *om. L*   quo *H*: qua *L*   esse solent *om. H*   5 uultum
Trimalcio *L*   concepta *L*   sorberi possunt *post* sorbilia sunt
add. H   6 selibras *H*: sex libras *L*

hingen. Auch trug er am kleinen Finger der linken Hand einen mächtigen, leicht vergoldeten Ring und weiter am letzten Glied des nächsten Fingers einen kleineren, der, wie mir schien, aus massivem Gold, aber ganz mit Lötwerk nach Art eiserner Sterne bedeckt war. Und um nicht nur diese Schätze zur Schau zu stellen, entblößte er den rechten Arm, an dem ein goldenes Armband und eine Elfenbeinspange mit blitzender Schließplatte prangten. Wie er sich dann mit einem silbernen Kiel die Zähne gestochert hatte, sagte er: „Liebe Freunde, ich hatte noch keine Lust, in den Speisesaal zu kommen, aber um euch nicht durch längere Absenz aufzuhalten, habe ich mir jegliche Annehmlichkeit versagt. Ihr erlaubt trotzdem, daß zu Ende gespielt wird." Darauf erschien ein Bursche mit einem Spielbrett aus Terebinthenholz und mit kristallenen Würfeln, und als das Aparteste überhaupt fiel mir auf, daß er anstelle von weißen und schwarzen Steinchen Gold- und Silbermünzen hatte. Während der Gastgeber inzwischen beim Spiel die Sprüche sämtlicher Handwerksburschen erschöpfte, wurde, bevor wir mit der Vorspeise zu Ende waren, ein Tablett mit einem Korb hereingetragen, in dem eine Henne aus Holz mit kreisförmig ausgebreiteten Flügeln saß, wie man sie beim Brüten sehen kann. Umgehend traten zwei Sklaven herzu, begannen unter einem Tusch des Orchesters das Stroh zu durchwühlen, brachten in einemfort Pfaueneier zum Vorschein und verteilten sie an die Gäste. Trimalchio wandte sich dieser Vorstellung zu und sagte: „Liebe Freunde, Pfaueneier habe ich der Henne unterlegen lassen. Und ich fürchte weiß Gott, sie sind schon bebrütet; machen wir trotzdem einen Versuch, ob man sie noch schlürfen kann!" Uns gibt man Eierlöffel von mindestens einem halben Pfund Gewicht, und so schlagen wir die in Krapfenteig herausgebackenen Eier auf. Ich für mein Teil hätte meine Portion beinahe hingeworfen, denn sie schien mir schon zäh gewor-

8 tur mihi iam in pullum coisse. deinde ut audivi vete- *HL*
rem convivam: 'hic nescio quid boni debet esse', persecutus putamen manu pinguissimam ficedulam inveni
piperato vitello circumdatam.

34 iam Trimalchio eadem omnia lusu intermisso popos-
cerat feceratque potestatem clara voce, si quis nostrum iterum vellet mulsum sumere, cum subito signum symphonia datur et gustatoria pariter a choro

2 cantante rapiuntur. ceterum inter tumultum cum forte
paropsis excidisset et puer iacentem sustulisset, anim-
advertit Trimalchio colaphisque obiurgari puerum

3 ac proicere rursus paropsidem iussit. insecutus est
⟨supel⟩lecticarius argentumque inter reliqua purga-

4 menta scopis coepit everrere. | subinde intraverunt *H*
duo Aethiopes capillati cum pusillis utribus, quales
solent esse qui harenam in amphitheatro spargunt,
vinumque dedere in manus; aquam enim nemo porrexit.

5 | laudatus propter elegantias dominus 'aequum' in- *HL*
quit 'Mars amat. itaque iussi suam cuique mensam
assignari. obiter et putidissimi servi minorem nobis
aestum frequentia sua facient'.

6 statim allatae sunt amphorae vitreae diligenter gyp-
satae, quarum in cervicibus pittacia erant affixa cum
hoc titulo: 'Falernum Opimianum annorum centum.'

7 dum titulos perlegimus, complosit Trimalchio manus
et 'eheu' inquit 'ergo diutius vivit | vinum quam *H*
homuncio. quare tangomenas faciamus. | vinum vita *HL*
est. verum Opimianum praesto. heri non tam bonum

33,7 mihi *om. H*   8 circumdatam *H*: piperatam *L*   34,3
insecutusque *L*   supellecticarius *Dousa*: lect-   euerrere *Goe-*
sius: uerrere   5 iussi *Burmannus*: iussit *H*: iussit senex *L*
putidissimi *Heinsius*: pudis- *H*: p̄dis- *L*   sua freq- *L*   7 uiuit.
uerum est uinum Op- *L mediis omissis*   uinum uita *Goesius*: uita
uinum *H*

24

den zu sein, als gäbe es ein Küken. Wie ich dann aber einen Stammgast sagen hörte: „Hier muß irgend etwas Gutes stecken!", schälte ich mit der Hand zu Ende und fand eine kugelrunde Grasmücke in einer Hülle von gepfeffertem Dotter.

Schon hatte sich Trimalchio, indem er sein Spiel fahren ließ, ebenfalls von allem geben lassen und uns in lautem Ton freigestellt, auf Wunsch zum zweitenmal Honigwein zu nehmen, als plötzlich das Orchester ein Zeichen gibt und ein Sängerchor die Vorspeisenplatten auf einen Schlag verschwinden läßt. Als nun in dem Durcheinander versehentlich eine Schüssel hinfiel und ein Bursche sie vom Boden aufhob, bemerkte es Trimalchio, ließ den Burschen mit Ohrfeigen maßregeln und die Schüssel wieder hinwerfen. Dann erschien der Büfettverwalter und machte sich daran, das Silbergerät unter dem übrigen Abfall mit einem Reisigbesen hinauszukehren. Darauf traten zwei langhaarige Mohrenbuben mit winzigen Schläuchen ein, wie man sie im Amphitheater den Sand besprengen sehen kann, und taten uns Wein auf die Hände – ja, Wasser bot niemand an!

Als wir dem Hausherrn wegen seiner Großartigkeiten Komplimente gemacht hatten, sagte er: „Mars ist für Gleich und Gleich. So habe ich jedem seinen eigenen Tisch anweisen lassen. Beiläufig werden auch diese Stinktiere von Sklaven uns weniger Stickluft mit ihrem Gedränge machen."

Auf der Stelle wurden sorgfältig vergipste Glaskrüge hereingebracht, an deren Hälsen Etiketten mit folgendem Text angeklebt waren: „Falerner, anno Opimius, hundertjährig." Während wir die Aufschriften studierten, schlug Trimalchio die Hände zusammen und sagte: „Ach Gott, also lebt der Wein länger als ein Menschenkind. Darum wollen wir Prosit machen. Wein ist Leben. Echten Opimianer spendiere ich. Gestern habe ich keinen so guten vorgesetzt, dabei saßen viel vornehmere Leute zu Tisch."

8 posui, et multo honestiores cenabant.' potantibus ergo HL
   et accuratissime nobis lautitias mirantibus laruam argenteam attulit servus sic aptatam, ut articuli eius ver-
9 tebraeque luxatae in omnem partem flecterentur. hanc
   cum super mensam semel iterumque abiecisset et
   catenatio mobilis aliquot figuras exprimeret, Trimalchio adiecit:
10 | 'eheu nos miseros, quam totus homuncio nil est! HLφ
      sic erimus cuncti, postquam nos auferet Orcus.
        ergo vivamus, dum licet esse bene.'

35 | laudationem ferculum est insecutum plane non pro HL
      expectatione magnum; novitas tamen omnium con-
2 vertit oculos. rotundum enim repositorium duodecim
   habebat signa in orbe disposita, super quae proprium
   convenientemque materiae structor imposuerat cibum:
3 super arietem cicer arietinum, super taurum bubulae
   frustum, super geminos testiculos ac rienes, super can-
   crum coronam, super leonem ficum Africanam, super
4 virginem steriliculam, super libram stateram in cuius
   altera parte scriblita erat, in altera placenta, | super H
   scorpionem ⟨*⟩ [pisciculum marinum], | super sagitta- HL
   rium oclopetam, super capricornum locustam mari-
   nam, super aquarium anserem, super pisces duos mul-
5 los. in medio autem caespes cum herbis excisus favum
6 sustinebat. circumferebat Aegyptius puer clibano ar-
      genteo panem   ⟨*⟩
      atque ipse etiam taeterrima voce de Laserpiciario mimo
7 canticum extorsit. nos ut tristiores ad tam viles acces-
      simus cibos, 'suadeo' inquit Trimalchio 'cenemus; hoc
36 est ius cenae'. haec ut dixit, ad symphoniam quattuor

34,8 curatissime *H*   luxatae *Heinsius*: lax- *H*: loc- *L*   uerterentur *H*   35,1 insecutum est *L*   2 rep- enim rot- *L*   4 *glos-
sam* pisc- mar- *Gaselee auctore del. et lac. ind. Smith*   in quo
cornua erant *post* capricornum add. *H*   6 *lac. ind. Bücheler*
extorquet *L*   7 ius *L*: in *H*

Als wir also tranken und seine Feudalität auf das gründlichste bewunderten, brachte ein Sklave ein silbernes Skelett herein, mit einem Mechanismus der Art, daß sich seine Glieder und Gelenke verrenkt in jeder Richtung biegen ließen. Als er dies einmal ums andere über den Tisch hingeworfen hatte und die bewegliche Fügung allerlei Figuren bildete, setzte Trimalchio hinzu:

> „Ach, wir armen Menschenkinder sind nur Luft!
> So ergehts uns allen, hat der Tod geruft.
> Drum lustig, Leut, denn heut ist heut!"

Auf unser Kompliment folgte ein Gang, der durchaus unter unserer Erwartung blieb, aber doch originell genug war, um aller Blicke auf sich zu lenken. Denn ein rundes Tablett zeigte die zwölf Tierkreiszeichen im Kreise angeordnet, und der Entremettier hatte je ein besonderes und sinngemäßes Gericht darauf gelegt: auf den Widder Widdererbsen, auf den Stier ein Stück Rindfleisch, auf die Zwillinge Hoden und Nieren, auf den Krebs einen Kranz, auf den Löwen eine afrikanische Feige, auf die Jungfrau die Gebärmutter einer Jungsau, auf die Waage eine Standwaage mit einer Käsepastete in der einen, einem Honigkuchen in der anderen Schale, auf den Skorpion ein . . ., auf den Schützen ein Fixierauge, auf den Steinbock einen Seehummer, auf den Wassermann eine Gans, auf die Fische zwei Barben. In der Mitte aber lag ein ausgestochenes grünes Rasenstück mit einer Wabe darauf. Ein Ägypterbub reichte auf einer Silberpfanne Brot herum. ... Und auch der Hausherr quälte sich mit ganz abscheulicher Stimme eine Arie aus dem Singspiel „Rapunzel" ab. Wie wir mit ziemlich verdrießlichen Gesichtern an diese Allerweltsgerichte herangingen, sagte Trimalchio: „Ich schlage vor, zu speisen; so will es der Speisekomment." Kaum hatte er dies ausgesprochen, so liefen unter Orchestermusik vier Mann im Hüpf-

   tripudiantes procurrerunt superioremque partem re-
2 positorii abstulerunt. quo facto videmus infra [scilicet
   in altero ferculo] altilia et sumina leporemque in medio
3 pinnis subornatum, ut Pegasus videretur. notavimus
   etiam circa angulos repositorii Marsyas quattuor, ex
   quorum utriculis garum piperatum currebat super
4 pisces, qui quasi in euripo natabant. damus omnes
   plausum a familia inceptum et res electissimas ridentes
5 aggredimur. non minus et Trimalchio eiusmodi me-
6 thodio laetus 'Carpe' inquit. processit statim scissor
   et ad symphoniam gesticulatus ita laceravit obsonium,
   ut putares essedarium hydraule cantante pugnare.
7 ingerebat nihilo minus Trimalchio lentissima voce:
   'Carpe, Carpe'. ego suspicatus ad aliquam urbanitatem
   totiens iteratam vocem pertinere, non erubui eum qui
8 supra me accumbebat hoc ipsum interrogare. at ille,
   qui saepius eiusmodi ludos spectaverat, 'vides illum'
   inquit 'qui obsonium carpit: Carpus vocatur. ita quo-
   tienscumque dicit "Carpe", eodem verbo et vocat et
   imperat'.

37   non potui amplius quicquam gustare, sed conversus
   ad eum, ut quam plurima exciperem, longe accersere
   fabulas coepi sciscitarique, quae esset mulier illa, quae
2 huc atque illuc discurreret. 'uxor' inquit 'Trimalchionis, Fortunata appellatur, quae nummos modio meti-
3 tur. et modo modo quid fuit? ignoscet mihi genius
4 tuus, noluisses de manu illius panem accipere. nunc,
   nec quid nec quare, in caelum abiit et Trimalchionis
5 topanta est. ad summam, mero meridie si dixerit illi
6 tenebras esse, credet. | ipse nescit quid habeat, adeo   *H*

   36,2 scil- ... ferc- *del. Pithoeus*   **3** qui quasi *Gaselee et sic fere*
H (*per compendium ambiguum*): qui *L*   **4** coeptum *L*   **6** ita
gest- *L*   **8** inquit illum *L*   itaque *L*   **37,1** illa mulier *L*
3 illius *H*: eius *L*

schritt vor und hoben das Oberteil des Tabletts ab. Jetzt sehen wir darunter Poularden und Saueuter, dazu in der Mitte einen Hasen, der mit Federn drapiert war und für Pegasus gelten konnte. Auch fielen uns an den Ecken des Tabletts vier Marsyasfiguren auf, aus deren Schläuchlein eine Pfefferbrühe über Fische hinrann, die wie in einem Golf schwammen. Wir spenden alle Beifall, bei den Bedienten angefangen, und machen uns lachend über die ganz erlesenen Dinge her. Nicht weniger hatte auch Trimalchio an einem Trick wie diesem seinen Spaß und sagte: „Schneider!" Auf der Stelle trat der Trancheur vor und zermetzelte unter Orchestermusik mit Fechterhieben das Gericht in einer Weise, daß man hätte meinen können, ein Gladiator führe nach den Klängen eines Leiermanns einen Wagenkampf. Nichtsdestoweniger ließ Trimalchio in ganz langgezogenem Ton sein „Schneid-er, Schneid-er!" vernehmen. Ich vermutete, das so oft wiederholte Wort müsse auf irgend eine Pointe hinauslaufen, und genierte mich nicht, den Gast, der einen Platz weiter oben lag, eben danach zu fragen. Da sagte er, denn er hatte schon öfter solche Späße gesehen: „Du hast den Mann vor dir, der das Gericht vorschneidet: Schneider heißt er. Also immer wenn er sagt ‚Schneider', ist es dasselbe Wort, mit dem er ruft wie anweist."

Ich konnte keinen Bissen mehr essen, sondern wandte mich dem Mann zu, um möglichst viel mitzubekommen, holte weit aus und zog Erkundigungen ein, wer die Frau da sei, die kreuz und quer herumlaufe. „Trimalchios Gattin", sagte er, „Fortunata heißt sie und mißt das Geld mit Scheffeln. Und gerade eben was war sie? Dein Schutzgeist wird mir verzeihen: du hättest aus ihrer Hand kein Stück Brot nehmen mögen. Jetzt hat sie mir nichts dir nichts Karriere gemacht und ist Trimalchios A und O. Kurz und gut, wenn sie ihm am hellichten Tage sagt, es sei Mitternacht, wird ers glauben. Selber weiß er nicht, wie viel er

saplutus est; sed haec lupatria providet omnia, est ubi *H*
7 non putes. est sicca, sobria, bonorum consiliorum –
tantum auri vides –, est tamen malae linguae, pica
pulvinaris. quem amat, amat; quem non amat, non
8 amat. ipse [Trimalchio] fundos habet, qua milvi vo-
lant, nummorum nummos. argentum in ostiarii illius
cella plus iacet quam quisquam in fortunis habet.
9 familia vero babae babae, non mehercules puto decu-
10 mam partem esse quae dominum suum noverit. ad
summam, quemvis ex istis babaecalis in rutae folium
38 coniciet. nec est quod putes illum quicquam emere.
omnia domi nascuntur: lana, citrea, piper; lacte galli-
2 naceum si quaesieris, invenies. ad summam, parum
illi bona lana nascebatur: arietes a Tarento emit et eos
3 culavit in gregem. mel Atticum ut domi nasceretur,
apes ab Athenis iussit afferri; obiter et vernaculae quae
4 sunt, meliusculae a Graeculis fient. ecce intra hos dies
scripsit, ut illi ex India semen boletorum mitteretur.
nam mulam quidem nullam habet quae non ex onagro
5 nata sit. vides tot culcit[r]as: nulla non aut conchylia-
tum aut coccineum tomentum habet. tanta est animi
6 beatitudo. reliquos autem collibertos eius cave con-
7 temnas. valde sucos[s]i sunt. vides illum qui in imo
imus recumbit: hodie sua octingenta possidet. de nihi-
8 lo crevit. modo solebat collo suo ligna portare. sed
quomodo dicunt – ego nihil scio, sed audivi – cum
Incuboni pilleum rapuisset, [et] thesaurum invenit.

37,6 est ubi *scripsi*: et ubi *H*: et est ubi *Rohde*   8 Trim-, *quod
Bücheler supervacaneum esse adnotavit, delevi*   qua *H*: quantum *Schol. Persii 4,26*   38,1 citrea *Jacobs*: credrae   8 modo
sol- collo *Wehle*: sol- c- m-   cum *Bücheler*: quomodo   et *del.
Scheffer*

hat, so ein Großkapitalist ist er; aber dieses Luder kümmert sich um alles, ist da, wo man nicht meinen sollte. Ist nicht für Saus und Braus, von guten Ideen – nach all dem Gold zu urteilen, das man sieht –, ist aber von bösem Mundwerk, eine Klatschbase. Wen sie mag, mag sie; wen sie nicht mag, mag sie nicht. Er selber hat Grundstücke, soweit der Habicht fliegt, Geld hoch drei. Silbergeschirr liegt bei seinem Portier mehr in der Loge herum als sonst einer in seinen Depots hat. Und erst Personal, ohlala ohlala: weiß Gott, ich meine, es ist nicht einer von zehn, der seinen Herrn kennt. Kurz und gut, jeden von den Ohlala-Fatzken da kann er in die Tasche stecken. Und du darfst nicht meinen, daß der irgend etwas kaufen muß. Alles gedeiht auf seinem eigenen Grund: Wolle, Pomeranzen, Pfeffer; willst du Hühnermilchen – kannst du haben. Kurz und gut, was er an Wolle zog, war ihm nicht gut genug; von Tarent her hat er Widder gekauft und auf seine Schafe losgelassen. Damit attischer Honig auf seinem eigenen Grund gedeihen sollte, hat er Bienen von Athen her kommen lassen; nebenbei gibt es auch für unsere hier von den Freundchen aus Griechenland ein Profitchen. Denk mal an, dieser Tage hat er geschrieben, daß man ihm aus Indien Champignonsporen schicken soll! Nicht zu vergessen: Mulis hat er keine, die nicht von einem Wildesel stammen. Da, lauter Kissen: keins, dessen Füllung nicht entweder mit Purpur oder mit Scharlach gefärbt ist. Er hat eben alles, was das Herz begehrt. – Aber auch die anderen, seine Mitfreigelassenen, darfst du ja nicht unterschätzen. Sie platzen aus den Nähten. Da, der letzte am letzten Tisch: heute hat er seine Achthunderttausend in der Tasche. Mit nichts hat er angefangen. Gerade hat er noch alle Tage auf seinem Buckel Holz geschleppt. Aber wie die Leute sagen – ich weiß nicht Bescheid, habs nur gehört –: er hat einem Heinzelmännchen die Zipfelmütze weggenommen, da hat er einen Schatz gefunden. Ich bin keinem neidisch, wenn

9 ego nemini invideo, si quid deus dedit. est tamen sub-
10 alapa et non vult sibi male. itaque proxime †cum† hoc
   titulo proscripsit: "C. Pompeius Diogenes ex kalendis
11 Iuliis cenaculum locat; ipse enim domum emit". quid
   ille qui libertini loco iacet, quam bene se habuit. non
12 impropero illi. sestertium suum vidit decies, sed male
   vacillavit. non puto illum capillos liberos habere, nec
   mehercules sua culpa; ipso enim homo melior non est;
13 sed liberti scelerati, qui omnia ad se fecerunt. scito autem: sociorum olla male fervet, et ubi semel res incli-
14 nata est, amici de medio. et quam honestam negotia-
   tionem exercuit, quod illum sic vides. libitinarius fuit.
15 solebat sic cenare quomodo rex: apros gausapatos,
   opera pistoria, avis, ⟨*⟩ cocos, pistores. plus vini sub
   mensa effundebatur, quam aliquis in cella habet. phan-
16 tasia, non homo. inclinatis quoque rebus suis, cum
   timeret ne creditores illum conturbare existimarent,
   hoc titulo auctionem proscripsit: "⟨C.⟩ Iulius Proculus
   auctionem faciet rerum supervacuarum".'

39   interpellavit tam dulces fabulas Trimalchio; nam
   iam sublatum erat ferculum, hilaresque convivae vino
 2 sermonibusque publicatis operam coeperant dare. is
   ergo reclinatus in cubitum 'hoc vinum' inquit 'vos
 3 oportet suave faciatis. pisces natare oportet. rogo, me
   putatis illa cena esse contentum, quam in theca repositorii videratis? "sic notus Ulixes?" quid ergo est?

   38,9 quid *Bücheler*: quo *H*: quoi *Goesius*   subalapa *coniunxit*
Bücheler: sub alapa (*cf. Heraeus 110³*)   **10** cum] cenaculum *Bü-*
cheler   **11** libertino *Heinsius*   **15** op- pist- *delebat Jacobs*
   auis *Scheffer*: uis   *lac. suspicatus est Bücheler*   ˙   **16** C. *add.*
Bücheler

ihm etwas in den Schoß gefallen ist. Aber er ist ein Protz und läßt sichs nicht schlecht gehen. Da hat er neulich seine Wohnung mit folgender Annonce ausgeschrieben: ‚C. Pompejus Diogenes hat ab 1. Juli Wohnung zu vermieten, da selber jetzt Hausbesitzer.‘ – Dann der da, der am Gevatterplatz liegt, wie glänzend ist es dem gegangen! Ich habe nichts gegen ihn. Er hat es zu seiner Million gebracht, ist aber böse ins Wackeln gekommen. Ich meine, auch die Haare auf dem Kopf gehören ihm nicht mehr, und weiß Gott ohne seine Schuld; denn er selber ist eine Seele von Mensch – aber diese Spitzbuben von Freigelassenen, die alles auf die Seite geschafft haben! Ja, du mußt dir merken: beim Compagnon bringt man seinen Kohl nicht zum Kochen, und wenn es einmal schiefgeht, Freunde ab durch die Mitte. Und was hatte er für einen anständigen Beruf, wenn du ihn so siehst! Bestattungsunternehmer ist er gewesen. Getafelt hat er immer so wie ein König: Wildschweine im Schlafrock, Konditoreiwaren, Geflügel ... Köche, Konditoren. Mehr Wein floß bei ihm unter dem Tisch als einer im Keller hat. Ein Märchen, kein Mensch. Als es mit ihm schon abwärts ging und er fürchtete, daß seine Gläubiger ihn für bankrott hielten, hat er eine Versteigerung mit folgender Annonce ausgeschrieben: ‚C. Julius Proculus will seine überflüssigen Sachen zur Versteigerung bringen.‘ "

Diese bezaubernden Geschichten wurden von Trimalchio unterbrochen; der Gang war nämlich schon abgetragen, und fröhlich hatten sich die Gäste allmählich dem Wein und der allgemeinen Unterhaltung zugewandt. Er also lehnte sich auf den Ellenbogen und sagte: „Diesen Wein müßt ihr euch wohlbekommen lassen. Fisch muß schwimmen. Bitt schön, meint ihr, daß mir das Gericht genügt, das ihr vorher auf dem Tablettaufsatz gesehen habt? ‚So schlecht kennt ihr Laertens Sohn?‘ Was sagt ihr jetzt? Man muß

oportet etiam inter cenandum philologiam nosse. *H*
4 patrono meo ossa bene quiescant, qui me hominem
inter homines voluit esse. nam mihi nihil novi potest
afferri, sicut ille fer[i]culus †ta mel† habuit praxim.
5 caelus hic, in quo duodecim dii habitant, in totidem se
figuras convertit, et modo fit aries. itaque quisquis nascitur illo signo, multa pecora habet, multum lanae,
caput praeterea durum, frontem expudoratam, cornum
acutum. plurimi hoc signo scholastici nascuntur et
6 arietilli'. laudamus urbanitatem mathematici; itaque
adiecit: 'deinde totus caelus taurulus fit. itaque tunc
calcitrosi nascuntur et bubulci et qui se ipsi pascunt.
7 in geminis autem nascuntur bigae et boves et colei et
8 qui utrosque parietes linunt. in cancro ego natus sum.
ideo multis pedibus sto, et in mari et in terra multa
possideo; nam cancer et hoc et illoc quadrat. et ideo
iam dudum nihil supra illum posui, ne genesim meam
9 premerem. in leone cataphagae nascuntur et imperiosi;
10 in virgine mulierosi et fugitivi et compediti; in libra
laniones et unguentarii et quicumque aliquid expen-
11 dunt; in scorpione venenarii et percussores; in sagitta-
12 rio strabones, qui holera spectant, lardum tollunt; in
capricorno aerumnosi, quibus prae mala sua cornua
13 nascuntur; in aquario copones et cucurbitae; in pisci-
bus obsonatores et rhetores. sic orbis vertitur tamquam
mola, et semper aliquid mali facit, ut homines aut nas-
14 cantur aut pereant. quod autem in medio caespitem

39,4 ta mel] iam *Bücheler*   5 arietilli *Reinesius*: arieti illi
9 mulierosi *Jac. Gronovius*: mulieres   10 expendunt *Burmannus*: expediunt

auch bei Tisch seine Klassiker im Kopf haben. Meinem früheren Herrn seine Gebeine sollen in Frieden ruhen, er wars, der mich als Menschen unter Menschen sehen wollte. Nämlich mir kann keiner mit etwas Neuem kommen, z. B. das Gang da ist längst praktiziert. Das Firmament hier, in dem die zwölf Götter wohnen, verwandelt sich in ebenso viele Bilder und wird erst mal ein Widder. Jeder, der also unter diesem Zeichen geboren wird, hat viele Schafe, viel Wolle, zudem einen Dickschädel, eine ausgeschamte Stirn, Spießhorn. In Mengen werden unter diesem Zeichen Schulmeister und Streithammel geboren." Wir machen ihm Komplimente für seine astrologische Bildung; da fuhr er fort: „Darauf wird das ganze Firmament ein Stierchen. So werden dann Fußtrittfreunde geboren und Ochsenlümmel und Leute, die sich ihr Futter selber holen. In den Zwillingen aber werden Zweigespanne geboren und Hornochsen und Hodensäcke und Leute, die zwei Eisen ins Feuer legen. Im Krebs bin ich geboren. Deshalb stehe ich auf vielen Füßen und habe zu Wasser und zu Lande viele Besitzungen; denn der Krebs paßt hierhin wie dorthin. Und deshalb habe ich schon seit langem nichts auf ihn legen lassen, um meine Nativität nicht zu drücken. Im Löwen werden Gourmands geboren und Menschen, die immer kommandieren wollen; in der Jungfrau Schürzenjäger und Ausreißer und Kettensklaven; in der Waage Metzger und Drogisten und lauter Leute, die etwas ausbalancieren; im Skorpion Giftmischer und Meuchelmörder; im Schützen Menschen mit Schielaugen, die nach dem Kohl schauen und nach dem Speck greifen; im Steinbock Trübsalbläser, denen wegen ihrem Malheur Hörner wachsen; im Wassermann Kneipenwirte und Kürbisköpfe; in den Fischen Feinkosthändler und Redekünstler. So dreht sich die Welt wie eine Mühle, und immer führt irgend etwas Schlimmes dazu, daß jemand entweder geboren wird oder stirbt. Daß ihr aber in der Mitte

videtis et super caespitem favum, nihil sine ratione
15 facio. terra mater est in medio quasi ovum corrotun-
data, et omnia bona in se habet tamquam favus'.
40 'sophos' universi clamamus et sublatis manibus ad
cameram iuramus Hipparchum Aratumque comparan-
dos illi homines non fuisse, donec advenerunt ministri
ac toralia praeposuerunt toris, in quibus retia erant
picta subsessoresque cum venabulis et totus venatio-
2 nis apparatus. necdum sciebamus, ⟨quo⟩ mitteremus
suspiciones nostras, cum extra triclinium clamor sub-
latus est ingens, et ecce canes Laconici etiam circa men-
3 sam discurrere coeperunt. secutum est hos repositorium, in quo positus erat primae magnitudinis aper,
et quidem pilleatus, e cuius dentibus sportellae depen-
debant duae palmulis textae, altera caryotis altera the-
4 baicis repleta. circa autem minores porcelli ex copto-
placentis facti, quasi uberibus imminerent, scrofam
esse positam significabant. et hi quidem apophoreti
5 fuerunt. ceterum ad scindendum aprum non ille Carpus
accessit, qui altilia laceraverat, sed barbatus ingens,
fasciis cruralibus alligatus et alicula subornatus poly-
mita, strictoque venatorio cultro latus apri vehementer
6 percussit, ex cuius plaga turdi evolaverunt. parati au-
cupes cum harundinibus fuerunt et eos circa triclinium
7 volitantes momento exceperunt. inde cum suum cuique iussisset referri Trimalchio, adiecit: 'etiam videte,
quam porcus ille silvaticus lotam comederit glandem'.
8 statim pueri ad sportellas accesserunt, quae pendebant
e dentibus, thebaicasque et caryotas ad numerum divi-

40,1 toralia praeposuerunt *Mentelius*: tolaria prop-   2 quo
add. Mentelius   7 etiam] iam *Jacobs*   lotam *Muncker*: totam

einen Rasen seht und über dem Rasen eine Wabe, mache ich alles mit Überlegung: Mutter Erde liegt in der Mitte, abgerundet wie ein Ei, und hat lauter Gutes in sich wie eine Wabe."

„Ingeniös!" rufen wir allesamt, heben die Hände zum Plafond empor und schwören, Hipparch und Arat seien gegen ihn bloße Stümper gewesen. Jetzt kamen Diener und breiteten vor den Diwanen Decken aus, auf denen Netze gestickt waren und Jäger auf dem Anstand mit Spießen und alles, was zur Jagd gehört. Und ehe wir recht wußten, welchen Weg wir unsere Vermutungen nehmen lassen sollten, erhob sich draußen vor dem Speisesaal ein gewaltiger Lärm und, da schaut her, Jagdrüden begannen gar um den Tisch auszuschwärmen. Es folgte ihnen eine Platte, auf der ein Keiler erster Größenordnung lag, und zwar mit einer Freiheitsmütze und so, daß an seinen Gewehren zwei Körbchen aus geflochtenem Palmbast hingen, das eine mit syrischen, das andere mit ägyptischen Datteln gefüllt. Rings herum aber waren winzige, aus Knusperteig bereitete Ferkel so gelegt, als ob sie sich nach den Zitzen drängten, um anzudeuten, ein Mutterschwein sei aufgetischt. Nun, sie selber waren als Souvenirs gedacht. Im übrigen kam zum Zerlegen des Keilers nicht der ‚Schneider' von vorhin herein, der das Geflügel tranchiert hatte, sondern ein bärtiger Riese mit Wickelgamaschen an den Waden und mit einem wasserdichten Cape drapiert; der zog seinen Hirschfänger und stieß ihn dem Keiler tüchtig in die Flanke, worauf Krammetsvögel aus dem Riß hochflogen. Vogelsteller mit Leimruten standen bereit und fingen die im Speisesaal umherflatternden Tiere im Nu ein. Trimalchio ließ darauf jedem eines bringen und setzte hinzu: „Jetzt paßt auf, was für delikate Eicheln die Wildsau da gefressen hat!" Sogleich traten Burschen zu den Körbchen, die an den Gewehren hingen, und verteilten die ägyptischen wie die syrischen

41 sere cenantibus. interim ego, qui privatum habebam *H*
secessum, in multas cogitationes diductus sum, quare
2 aper pilleatus intrasset. postquam itaque omnis baca-
lusias consumpsi, duravi interrogare illum interpretem
3 meum, quod me torqueret. at ille: 'plane etiam hoc
servus tuus indicare potest; non enim aenigma est, sed
4 res aperta. hic aper, cum heri summa cena eum vindi-
casset, a convivis dimissus ⟨est⟩; itaque hodie tam-
5 quam libertus in convivium revertitur'. damnavi ego
stuporem meum et nihil amplius interrogavi, ne
viderer numquam inter honestos cenasse.

6   dum haec loquimur, puer speciosus, vitibus hederis-
que redimitus, modo Bromium, interdum Lyaeum
Euhiumque confessus, calathisco uvas circumtulit et
7 poemata domini sui acutissima voce traduxit. ad quem
sonum conversus Trimalchio 'Dionyse' inquit 'liber
esto'. puer detraxit pilleum apro capitique suo impo-
8 suit. tum Trimalchio rursus adiecit: 'non negabitis
me' inquit 'habere Liberum patrem'. laudavimus dictum [Trimalchionis] et circumeuntem puerum sane
perbasiamus.

9   ab hoc ferculo Trimalchio ad lasanum surrexit. nos
libertatem sine tyranno nacti coepimus invitare ⟨*⟩
10 [convivarum sermones]. Dama itaque primus cum
†pataracina† poposcisset, 'dies' inquit 'nihil est. dum
versas te, nox fit. itaque nihil est melius quam de cubi-
11 culo recta in triclinium ire. et mundum frigus habui-

41,2 quod *Bücheler*: quid   **4** cena eum *Bücheler*: cenam
est *add. Heinsius*   **8** Trimalchionis *del. Fraenkel*   circumeuntem *Scheffer*: -tes   **9** lasanum *Scheffer*: lasammum   *verba
argumentum indicantia* conu- serm- *del. et lac. ind. Fuchs*   inuitare
⟨nos largius⟩ [c- s-] *Courtney*   **10** Dama *Heinsius*: clamat
pataracina] acrata (*i. e.* ἄκρατα) uina *temptavi*

Datteln ausgezählt an die Gäste. Meinerseits, denn ich war ganz in mich versunken, hing ich unterdessen allerlei Gedanken nach, warum der Keiler mit einer Freiheitsmütze hereingekommen sei. Nachdem ich nun sämtliche Kalauer erschöpft hatte, fragte ich meinen Mentor von vorhin hartnäckig weiter und gab an, was mir Kopfzerbrechen mache. Darauf er: „Auch das, immer zu Diensten, kann ich dir genau sagen; es ist nämlich keine Scharade, sondern ein klarer Fall. Dieser Keiler sollte gestern zur Krönung des Essens dienen, aber die Gäste haben ihn laufen lassen; da kehrt er heute wie ein Freigelassener zur Tafel zurück." Ich ließ ein Donnerwetter über meine Begriffsstutzigkeit los und stellte keine weitere Frage, um nicht den Eindruck zu erwecken, als hätte ich nie bei feinen Leuten gespeist.

Während wir so sprachen, reichte ein bildschöner Bursche mit Weinlaub- und Efeugewinden, der sich bald als schwärmender, jetzt als trunkener oder triumphierender Dionysos ausgab, in einem Rohrkörbchen Trauben herum und trug mit Diskantstimme Poesien seines Herrn vor. Auf diese Töne hin wandte sich Trimalchio um und sagte: „Dionysos, du sollst LIBER sein." Der Bursche zog dem Keiler die Freiheitsmütze herunter und setzte sie sich selber auf. Da ließ Trimalchio eine neue Bemerkung fallen und sagte: „Ihr werdet mir einen LIBER PATER nicht abstreiten." Wir beklatschten den Witz und küssen jetzt den Burschen bei seiner Runde schier zunichte.

Nach diesem Gang erhob sich Trimalchio, um aufs Klosett zu gehen. Wir aber hatten Redefreiheit ohne Knute gewonnen und begannen daher mit Aufforderungen .... Dama also machte den Anfang, rief „Ungepantschten Wein her!" und sagte: „Ein Tag ist gleich Null. Im Handumdrehen wird es Nacht. Da gibt es nichts Besseres, als vom Bett geradeaus zu Tisch zu gehen. Und eine saubere Kälte haben wir gehabt. Kaum ins Bad bin ich warm ge-

mus. vix me balneus calfecit. tamen calda potio *H*
12 vestiarius est. staminatas duxi, et plane matus sum.
vinus mihi in cerebrum abiit'.

42 excepit Seleucus fabulae partem et 'ego' inquit 'non
2 cotidie lavor; balniscus enim fullo est, aqua dentes
habet, et cor nostrum cotidie liquescit. sed cum mulsi
pultarium obduxi, frigori laecasin dico. nec sane lavare
3 potui; fui enim hodie in funus. homo bellus, tam bonus
Chrysanthus animam ebulliit. modo modo me appel-
4 lavit. videor mihi cum illo loqui. heu, eheu. utres
inflati ambulamus. minoris quam muscae sumus,
⟨muscae⟩ tamen aliquam virtutem habent, nos non
5 pluris sumus quam bullae. et quid si non abstinax
fuisset! quinque dies aquam in os suum non coniecit,
non micam panis. tamen abiit ad plures. medici illum
perdiderunt, immo magis malus fatus; medicus enim
6 nihil aliud est quam animi consolatio. tamen bene ela-
tus est, vitali lecto, stragulis bonis. planctus est optime
– manu misit aliquot – etiam si maligne illum ploravit
7 uxor. quid si non illam optime accepisset! sed mulier
quae mulier milvinum genus. neminem nihil boni
facere oportet; aeque est enim ac si in puteum conicias.
sed antiquus amor cancer est'.

43 molestus fuit, Philerosque proclamavit: 'vivorum
meminerimus. ille habet, quod sibi debebatur: honeste
vixit, honeste obiit. quid habet quod queratur? ab asse
crevit et paratus fuit quadrantem de stercore mordicus

42,1 balniscus *Scheffer*: baliscus   **2** cor] corpus *Jacobs*
laecasin *Burmannus*: -sim   in funus *patav*.: infumus   **4** heu
eheu *Jacobs*: hey est hey   minoris *Scheffer*: -res   muscae *add.*
Heinsius   **43,1** Philerosque *Bücheler*: Phileros qui   ab asse
creuit *Scheffer*: abbas secreuit

worden. Aber ein warmer Tropfen ist der beste Pelz. Ich habe nach Noten getankt und bin ganz schwiemelig. Das Sprit ist mir ins Hirn davongelaufen."

Den Gesprächsfaden nahm Seleukus auf und sagte: „Ich bade nicht alle Tage; das Geplantsche ist nämlich die reinste Walkerei, Wasser hat Zähne, und unser Inwendiges schmilzt alle Tage zusammen. Aber wenn ich einen Becher Honigwein hintergegossen habe, sage ich der Kälte ‚Du kannst mich –‘. Übrigens konnte ich mich gar nicht baden; ich war nämlich heute auf den Friedhof. Ein netter Mann, der herzensgute Chrysanthus, hat seinen letzten Schnaufer getan. Gerade eben hat er mir noch Guten Tag gesagt. Mir ist, als ob ich noch mit ihm spreche. Gott, ach Gott! Luftballons auf Beinen sind wir. Wir taugen weniger als Fliegen; Fliegen haben trotzdem ein bißchen Gutes, wir taugen nicht mehr als Seifenblasen. Und was erst, wenn er nicht wie ein Spatz gelebt hätte! Fünf Tage hat er keinen Tropfen Wasser in seinen Mund geschüttet, kein Krümchen Brot. Trotzdem ist er zur großen Armee abgegangen. Die Ärzte haben ihn umgebracht, oder vielmehr seine böse Fee; ein Arzt ist nämlich nichts weiter als ein Seelentrost. Trotzdem, er hatte ein schönes Begräbnis, mit Paradebett, guten Decken. Das Geheule für ihn war erstklassig – er hat ein paar Leute freigelassen –, obschon seine Frau ihm bloß Krokodilstränen gönnte. Was erst, wenn er sie nicht erstklassig poussiert hätte! Aber ein Weib mit Weiberallüren hat etwas vom Aasgeier. Man soll keine nichts zu Gefallen tun; es ist nämlich gerade so, als wenn du es in den Brunnen schüttest. Aber alte Liebe ist die Pest."

Er war lästig, und Phileros rief: „Wir wollen an die Lebenden denken. Der hat, was sich zustand: anständiges Leben, anständigen Tod. Worüber hat er zu klagen? Von einem Groschen ist er ausgegangen und war sich nicht zu gut, einen Pfennig mit den Zähnen aus dem Mist zu klauben.

tollere. itaque crevit, quicquid tetigit, tamquam favus. *H*
2 puto mehercules illum reliquisse solida centum, et
3 omnia in nummis habuit. de re tamen ego verum dicam, qui linguam caninam comedi: durae buccae fuit,
4 linguosus, discordia, non homo. frater eius fortis fuit,
amicus amico, manu plena, uncta mensa. et inter initia
malam parram pilavit, sed recorrexit costas illius prima
vindemia: vendidit enim vinum, quantum ipse voluit.
et quod illius mentum sustulit, hereditatem accepit, ex
5 qua plus involavit quam illi relictum est. et ille stips,
dum fratri suo irascitur, nescio cui terrae filio patrimonium elegavit. longe fugit, quisquis suos fugit.
6 habuit autem oricularios servos, qui illum pessum
dederunt. | numquam autem recte faciet, qui cito cre- *HLφ*
dit, | utique homo negotians. tamen verum quod fru- *H*
7 nitus est, quam diu vixit. †cui datum est, non cui desti-
natum. plane Fortunae filius, in manu illiūs plumbum
aurum fiebat. facile est autem, ubi omnia quadrata
currunt. et quot putas illum annos secum tulisse? sep-
tuaginta et supra. sed corneolus fuit, aetatem bene
8 ferebat, niger tamquam corvus. noveram hominem
olim oliorum, et adhuc salax erat. non mehercules
illum puto in domo canem reliquisse. immo etiam pullarius erat, omnis Minervae homo. nec improbo, hoc
solum enim secum tulit'.
44   haec Phileros dixit, illa Ganymedes: 'narratis quod
nec ad caelum nec ad terram pertinet, cum interim

43,1 tetigit *Delz*: creuit   3 [qui] l- c- comedit *Jacobs*: quia
l- c- comedit *Delz*   4 plena uncta *Reinesium secutus Heinsius*:
u- p-   quantum] cf. *Hofm.-Szantyr 73 (d)*: quanti *praeeunte*
Scheffero Bücheler   6 oricularios *Reinesius*: orac-   7 cui
⟨datum est⟩ datum est *Muncker*   8 pullarius *Burmannus*: puell-

So ist alles, was er angefaßt hat, wie eine Wabe aufgegangen. Ich glaube weiß Gott, er hat volle Hunderttausend hinterlassen, und alles hatte er in bar. Trotzdem, was los war, kann ich genau sagen, weil ich verstehe, was die Spatzen pfeifen: ein Schandmaul war er, ein Krakeeler, die Unverträglichkeit selber, kein Mensch. Sein Bruder war ein ganzer Kerl, Kamerad unter Kameraden, mit offener Hand, leckerer Tafel. Na, gegen Anfang war er ein Pechvogel, aber die erste Weinernte hat ihm wieder auf die Beine geholfen; man hat nämlich für seinen Wein bezahlt, wieviel daß er haben wollte. Und was ihn in die Höhe gebracht hat: er hat eine Erbschaft gemacht, von der er mehr geschnappt hat als ihm hinterlassen war. Und der Klotz da, indem daß er seinem Bruder böse war, hat sein Vermögen einem hergelaufenen Soundso zum Fenster hinaus vermacht! Mit Siebenmeilenstiefeln geht einer davon, wenn er seinen Leuten davongeht. Er hatte eben Sklaven, die ihm in den Ohren lagen, und die haben ihn zugrunde gerichtet. Nie wird es eben einer recht machen, der alles für bare Münze nimmt, am wenigsten ein Geschäftsmann. Trotzdem stimmt es, daß er reüssiert hat, solange er lebte. Wem es gegeben ist, dem ist es gegeben; wem es bestimmt ist, dem nicht. Ein reiner Glückspilz, in seiner Hand wurde Blei zu Gold. Es ist eben ein Kinderspiel, wo alles wie am Schnürchen läuft. Und wieviel glaubst du, daß er Jahre auf dem Buckel hatte? Siebzig und darüber. Aber er war eisern, wurde mit dem Alter gut fertig, schwarz wie ein Rabe. Ich kannte den Mann seit Olims Zeiten, und er war bis zuletzt ein geiler Bock. Weiß Gott, ich glaube, keine Hündin war im Hause vor ihm sicher. Nein, er trieb es auch mit dem Jungvolk, wurde allen Sätteln gerecht. Ich habe ja nichts dagegen, das war nämlich das einzige, was er mit ins Grab genommen hat."

Diese Rede tat Phileros, und folgende Ganymedes: „Ihr erzählt, was weder Hinz noch Kunz interessiert, und dabei

2 nemo curat, quid annona mordet. non mehercules *H*
  hodie buccam panis invenire potui. et quomodo sic-
3 citas perseverat. iam annum esur⟨it⟩io fuit. aediles
  male eveniat, qui cum pistoribus colludunt "serva me,
  servabo te". itaque populus minutus laborat; nam isti
4 maiores maxillae semper Saturnalia agunt. o si haberemus illos leones, quos ego hic inveni, cum primum ex
5 Asia veni. illud erat vivere. †similia sicilia interiores†
  et laruas sic istos percolopabant, ut illis Iuppiter iratus
6 esset. [sed] memini Safinium: tunc habitabat ad arcum
7 veterem, me puero, piper, non homo. is quacumque
  ibat, terram adurebat. sed rectus, sed certus, amicus
  amico, cum quo audacter posses in tenebris micare.
8 in curia autem quomodo singulos [vel] pilabat [tracta-
9 bat], nec schemas loquebatur sed derectum. cum ageret
  porro in foro, sic illius vox crescebat tamquam tuba.
  nec sudavit umquam nec expuit, puto eum nescio quid
10 assi a dis habuisse. et quam benignus resalutare, nomina
  omnium reddere, tamquam unus de nobis. itaque illo
11 tempore annona pro luto erat. asse panem quem emis-
  ses, non potuisses cum altero devorare. nunc oculum
12 bublum vidi maiorem. heu heu, quotidie peius. haec
13 colonia retroversus crescit tamquam coda vituli. sed
  quare habemus aedilem non trium cauniarum, qui
  sibi mavult assem quam vitam nostram? itaque domi
  gaudet, plus in die nummorum accipit, quam alter
14 patrimonium habet. iam scio unde acceperit denarios

44,2 esuritio *Bücheler*: esurio   **5** *exspecto talia* ⟨cum⟩ similam sicali (*i. e. secali*) interpolassent (*sc. pistores*) *aut* simila sicali
in⟨termixto cum de⟩terior esset *aut* similam sicali inter⟨polabant
pis⟩tores: sed laruas ... (pistores sed *iam Wehle*)   **6** sed *del.*
Scheffer   **8** uel *et* tractabat *praeeunte Scheffero del. Jacobs*
derectum *Reiske*: dilectum   **9** eum *Mentelius*: enim   assi a
dis *Burmannus*: asia dis   **13** sed quare? *dist. Scheffer*   non
hic posuit Bücheler, post quare *habet H*

kümmert sich niemand darum, was der Kornpreis zwackt. Weiß Gott, ich habe heute keinen Happen Brot auftreiben können. Und wie die Dürre anhält! Schon ein Jahr dauert die Hungerleiderei. Unsere Ädilen soll das Genick brechen, die mit den Bäckern das Spielchen machen ‚Hilfst du mir, helf ich dir'! So müssen also die kleinen Leute büßen; denn die Fettbäuche da feiern alle Tage Karneval. Ach, wenn wir die Bärenkerle von früher hätten, die ich hier vorfand, als ich eben aus Kleinasien kam. Das war noch ein Leben. (...) und die Hampelmänner da haben sie so vermöbelt, daß ihnen Hören und Sehen verging. Ich denke noch an Safinius: er wohnte damals am Alten Tor, als ich Junge war, der reinste Pfeffer, kein Mensch. Wo der unterwegs war, versengte er das Gras. Aber gerade, aber zuverlässig, Kamerad unter Kameraden, ein Mann, mit dem man getrost im Finstern hätte knobeln können. Doch auf dem Rathaus, wie hat er einen um den andern heruntergekanzelt, und redete keine Phrasen, sondern geradheraus! Wenn er alsdann auf dem Markt zu tun hatte, ging seine Stimme so ins Zeug wie eine Trompete. Und nie hat er geschwitzt oder ausgespuckt, ich glaube, die Götter hatten ihm irgendwas Hartgesottenes mitgegeben. Und was für ein liebenswürdiger Herr, wenn er zurückgrüßte, bei jedermann den Namen hersagte, wie einer von uns. So war dazumal der Kornpreis ein Dreck. Hätte man sich für einen Groschen Brot gekauft, hätte man es nicht zu zweit verdrücken können. Heutzutage: ich habe schon Ochsenaugen gesehen, die größer waren. Ach Gott, ach Gott, alle Tage bergab! Das Nest hier wächst nach rückwärts wie ein Kälberschwanz. Aber warum haben wir auch einen Ädilen, der keinen Pfefferling taugt, dem ein Groschen in der eigenen Tasche lieber ist als unser Leben? So lacht er sich daheim ins Fäustchen, nimmt an einem Tag mehr an klingender Münze ein als ein anderer an Hab und Gut besitzt. Ich weiß

mille aureos. sed si nos coleos haberemus, non tantum *H*
sibi placeret. nunc populus est domi leones, foras vul-
15 pes. quod ad me attinet, iam pannos meos comedi, et
16 si perseverat haec annona, casulas meas vendam. quid
enim futurum est, si nec dii nec homines huius colo-
niae miserentur? ita meos fruniscar, ut ego puto omnia
17 illa a diibus fieri. | nemo enim caelum caelum putat, *HLϕ*
nemo ieiunium servat, nemo Iovem pili facit, sed om-
18 nes opertis oculis bona sua computant. | antea stolatae *H*
ibant nudis pedibus in clivum, passis capillis, mentibus
puris, et Iovem aquam exorabant. itaque statim urcea-
tim plovebat: aut tunc aut numquam: et omnes redibant udi tamquam mures. itaque dii pedes lanatos
habent, quia nos religiosi non sumus. agri iacent –'
45 'oro te' inquit Echion centonarius 'melius loquere.
2 "modo sic, modo sic" inquit rusticus; varium porcum
perdiderat. | quod hodie non est, cras erit: sic vita *HLϕ*
3 truditur. | non mehercules patria melior dici potest, *H*
si homines haberet. sed laborat hoc tempore, nec haec
sola. non debemus delicati esse, ubique medius caelus
4 est. tu si aliubi fueris, dices hic porcos coctos ambulare.
et ecce habituri sumus munus excellente in triduo die
5 festa; familia non lanisticia, sed plurimi liberti. et Titus

---

44,16 huius *Scheffer*: eius   a diibus *Bücheler*: aedilibus
17 pili *H*: pluris *Lϕ*   **18** redibant *Jacobs*: ridebant   udi *Triller*: ut dii   **45,2** truditur *Lϕ*: tiditur *H*   **3** haberet] *'fortasse
saperet'* *Bücheler*   sola *Reiske*: sua   **4** aliubi *Scheffer*: alicu-
bi   in triduo *Heinsius*: inter duo

schon, wie er zu seinen tausend Goldstücken gekommen ist. Aber wenn wir Saft in den Lenden hätten, würde er sich in seiner Haut nicht so wohlfühlen. Heutzutage sind die Leute daheim Bärenkerle, auswärts Duckmäuser. Was mich angeht, ich habe schon meine paar Fetzen aufgefressen, und wenn der jetzige Kornpreis anhält, muß ich meine Buden verkaufen. Was soll nämlich werden, wenn dieses Nest nicht droben und nicht drunten Erbarmen findet? So wahr ich an den Meinigen Freude haben will: ich glaube, daß das alles von den Herrschaften da droben kommt. Nämlich niemand läßt mehr den Himmel als Himmel gelten, niemand hält sich an die Fastenzeit, niemand kümmert sich einen Deut um Jupiter, sondern alle überschlagen nur, ohne rechts oder links zu schauen, ihren eigenen Profit. Ehedem zogen die Damen in langen Kleidern mit nackten Füßen aufs Kapitol, mit aufgelösten Haaren, mit reinen Herzen, und beteten zu Jupiter um Regen. So pladderte es gleich mit Gießkannen – ‚entweder heute oder nie‘ –, und alle kamen naß wie die Mäuse heim. So bringen die Götter keine Diele zum Knarren, weil uns selber der Glaube fehlt. Die Felder liegen da –"

„Sei so gut", sagte Echion, ein Fabrikant von Feuerwehr-requisiten, „laß die Unkerei! ‚Mal so, mal so‘ sagte der Bauer – eine scheckige Sau war ihm krepiert. Was heute nicht ist, kommt morgen; so rollt das Leben weiter. Man kann weiß Gott keine bessere Gemeinde nennen, wenn sie nur Kerle hätte. Aber daran haperts heutigentags bei ihr, und nicht nur bei ihr. Wir dürfen nicht so anspruchsvoll sein, nirgends wachsen die Bäume ins Firmament. Du da wirst sagen, wenn du woanders gewesen bist, daß hier die Säue gebraten umherlaufen. Und paß auf, in drei Tagen gibts bei uns ein delikatöses Spiel, am Feiertag; Fecht-mannschaft nicht professionell, sondern meistens Frei-gestellte. Und unser Titus ist großzügig und hat einen

noster magnum animum habet et est caldicerebrius: *H*
aut hoc aut illud, erit quid utique. nam illi domesticus
6 sum, non est mixcix. ferrum optimum daturus est,
sine fuga, carnarium in medio, ut amphitheater videat.
et habet unde: relictum est illi sestertium trecenties,
decessit illius pater. male! ut quadringenta impendat,
non sentiet patrimonium illius, et sempiterno nomina-
7 bitur. iam Manios aliquot habet et mulierem esseda-
riam et dispensatorem Glyconis, qui deprehensus est,
cum dominam suam delectaretur. videbis populi rixam
8 inter zelotypos et amasiunculos. Glyco autem, sester-
tiarius homo, dispensatorem ad bestias dedit. hoc est
se ipsum traducere. quid servus peccavit, qui coactus
est facere? magis illa matella digna fuit quam taurus
iactaret. sed qui asinum non potest, stratum caedit.
9 quid autem Glyco putabat Hermogenis filicem umquam bonum exitum facturam? ille milvo volanti
poterat ungues resecare; colubra restem non parit.
Glyco, Glyco dedit suas; itaque quamdiu vixerit, habe-
bit stigmam, nec illam nisi Orcus delebit. sed sibi
10 quisque peccat. sed subolfacio, quia nobis epulum
daturus est Mammea, binos denarios mihi et meis.
quod si hoc fecerit, eripiet Norbano totum favorem.
11 scias oportet plenis velis hunc vinciturum. et revera,
quid ille nobis boni fecit? dedit gladiatores sestertia-
rios iam decrepitos, quos si sufflasses cecidissent; iam

45,5 quid *Muncker*: quod   6 amphitheater *Bücheler*: ampli-
teatur   ⟨factum⟩ male *Ehlers dubitans (cf. Thes. 8, 241,1 sqq.)*
7 Manios] nanos *Scheffer conferens Stat. silv. 1,6,57 sqq.*
10 eripiet *Scheffer*: erripiat

Vulkan im Blut: entweder das oder das, etwas geschieht jedenfalls. Ich bin nämlich mit ihn intim, er ist kein ‚Zwar – aber‘. Er wird für blankes Eisen sorgen, ohne Kneifen, Gnadenstoß auf der Bühne, daß es rundherum ins Theater zu sehen ist. Und er hats dazu: dreißig Millionen sind ihm hinterlassen, sein Vater ist gestorben, tut mir leid. Selbst wenn er vierhundert Mille draufgehen läßt, macht es seinem Vermögen nichts aus, und in Ewigkeit wird man von ihm reden. Er hat schon ein paar Eddies und eine Amazone zu Wagen und Glykons Kassierer, der erwischt worden ist, als er seiner gnädigen Frau ’s Amüsement machte. Man wird sehen, wie sich das Publikum zwischen Hahnreis und jungen Kavalieren in die Haare gerät. Da hat doch Glykon, der Fünferkopf, seinen Kassierer vor die wilden Tiere gebracht! Das heißt sich selber an den Pranger stellen! Was kann ein Sklave dafür, wenn man ihn zwingt, ein Ding zu drehen? Mehr hätte es der Nachtscherben von Frau ververdient, daß der Stier sie auf die Hörner nimmt. Aber wer an den Esel nicht herankann, schlägt den Sack. Wie konnte Glykon doch bloß glauben, daß es mit Hermogenes seinem Unkraut jemals ein gutes Ende nehmen würde? Der Alte war imstande, einen Hasen im Lauf zu balbieren; der Apfel fällt nicht weit vom Stamm. Glykon, na, Glykon hat sein Fett weg; so wird er auf Lebenszeit sein Denkzettel haben, und niemand wird ihm das nehmen als der Orkus. Aber jeder muß seine Dummheiten ausbaden. Aber ich habe so einen Riecher, der Mammea wird uns freihalten, je zwei Mark für mich und meine Leute. Wenn er das wirklich tut, wird er dem Norbanus jede Chance nehmen. Du mußt wissen, daß er und kein anderer mit vollen Segeln das Ziel parieren wird. Und wirklich wahr, was hat der andere uns zu Gefallen getan? Er hat Gladiatoren präsentiert, die gerade einen Fünfer taugten und schon marode waren, zum Umfallen, wenn man sie angepustet hätte; ich habe schon

meliores bestiarios vidi. occidit de lucerna equites, *H*
putares eos gallos gallinaceos; alter burdubasta, alter
loripes, tertiarius mortuus pro mortuo, qui habe⟨ba⟩t
12 nervia praecisa. unus alicuius flaturae fuit Thraex, qui
et ipse ad dictata pugnavit. ad summam, omnes postea
secti sunt; adeo de magna turba "adhibete" accepe-
13 rant, plane fugae merae. "munus tamen" inquit "tibi
dedi": et ego tibi plodo. computa, et tibi plus do quam
46 accepi. manus manum lavat. videris mihi, Agamemnon, dicere: "quid iste argutat molestus?" quia tu,
qui potes loquere, non loquis. non es nostrae fasciae,
et ideo pauperorum verba derides. scimus te prae lit-
2 teras fatuum esse. quid ergo est? aliqua die te persua-
deam, ut ad villam venias et videas casulas nostras?
inveniemus quod manducemus, pullum, ova: belle
erit, etiam si omnia hoc anno tempestas depravavit:
3 inveniemus ergo unde saturi fiamus. et iam tibi
discipulus crescit cicaro meus. iam quattuor partis
dicit; si vixerit, habebis ad latus servulum. nam quicquid illi vacat, caput de tabula non tollit. ingeniosus
4 est et bono filo, etiam si in aves morbosus est. ego illi
iam tres cardeles occidi, et dixi quia mustella comedit.
invenit tamen alias nenias, et libentissime pingit.
5 ceterum iam Graeculis calcem impingit et Latinas
coepit non male appetere, etiam si magister eius sibi

45,11 habebat *Bücheler*: habet   12 adhibete *Bücheler*: adheb-
46,1 loquere non loquis *Burmannus*: l- n- loqui *H*: loqui non loquere *Scheffer*   2 deprauauit *scripsi*: dispare pallauit *H*: *num*
desperate populauit?   3 aues *Triller*: naues

bessere Leute vor die wilden Tiere werfen sehen. Was er an Berittenen töten ließ, waren Nippesfiguren, man konnte sie für Gockelhähne halten; der eine ein alter Packesel, der andere ein Schlappschwanz, der Reservemann eine Leiche als Leichenersatz mit seinen angeschlagenen Flechsen. Der einzige mit etwas Dampf war der Thraker, der sich wenigstens seinerseits nach den Regeln der Kunst geschlagen hat. Kurz und gut, alle kriegten später die Peitsche; zu laut hatten sie vom ganzen Publikum ‚Gebt es ihnen!' zu hören bekommen, diese kompletten Hasenfüße. ‚Trotzdem', sagt er, ‚das Spiel habe ich dir geliefert'; und ich klatsche dir Beifall. Rechne nach, und ich liefere dir mehr als ich bekommen habe. Eine Hand wäscht die andere. – Du siehst mir so aus, Agamemnon, als ob du sagen wolltest: ‚Was schwätzt der lästige Mensch da?' Weil du, der's Reden verstehst, nicht redst. Du bist von anderem Kaliber als wir, und deshalb lachst du über dem Plebs seine Worte. Wir wissen, du hast vor lauter gelehrtes Zeugs einen Klaps. Wie stehts also? Ob ich dich eines schönen Tages herumkriege, daß du meinen Landsitz besuchst und die Buden meiner Wenigkeit besichtigst? Wir finden schon etwas zu beißen, ein Hähnchen, Eier; es wird nett werden, obschon das Wetter heuer alles verdorben hat; also, wir finden schon etwas zum Sattwerden. Übrigens gibt es bald einen Schüler für dich, mein Butzelmann wächst heran. Er kann schon durch vier teilen; wenn er am Leben bleibt, wirst du an ihm einen Pikkolo zur Seite haben. Denn jede freie Stunde sitzt er mit der Nase über seiner Tafel. Er ist gescheit und kreuzbrav, obschon er einen Tick auf Vögel hat. Ich habe ihm schon drei Stieglitzen umgebracht und gesagt, ein Wiesel hat sie gefressen. Trotzdem, er ist auf andere Flausen verfallen und malt liebend gern. Übrigens hat er schon im Griechischen einen Anlauf genommen und ist fürs erste nicht schlecht hinter dem Latein her, obschon sein Lehrer sich etwas ein-

placens fit nec uno loco consistit. scit quidem litte-
6 ras, sed non vult laborare. est et alter non quidem doc-
tus, sed curiosus, qui plus docet quam scit. itaque
feriatis diebus solet domum venire, et quicquid dede-
7 ris, contentus est. emi ergo nunc puero aliquot libra
rubricata, quia volo illum ad domusionem aliquid de
iure gustare. habet haec res panem. nam litteris satis
inquinatus est. quod si resilierit, destinavi illum artificium docere, aut tonstrinum aut praeconem aut certe
causidicum, quod illi auferre non possit nisi Orcus.
8 ideo illi cotidie clamo: "Primigeni, crede mihi, quicquid discis, tibi discis. vides Phileronem causidicum:
si non didicisset, hodie famem a labris non abigeret.
modo modo collo suo circumferebat onera venalia,
nunc etiam adversus Norbanum se extendit. litterae
thesaurum est, et artificium numquam moritur".'
47 eiusmodi fabulae vibrabant, cum Trimalchio intravit et detersa fronte unguento manus lavit spatioque
2 minimo interposito 'ignoscite mihi' inquit 'amici,
multis iam diebus venter mihi non respondit. nec medici se inveniunt. profuit mihi tamen malicorium et
3 taeda ex aceto. spero tamen, iam veterem pudorem
sibi imponit. alioquin circa stomachum mihi sonat,
4 putes taurum. itaque si quis vestrum voluerit sua re
causa facere, non est quod illum pudeatur. nemo nostrum solide natus est. ego nullum puto tam magnum
tormentum esse quam continere. hoc solum vetare ne
5 Iovis potest. rides, Fortunata, quae soles me nocte

46,5 fit *Bücheler (cf. Petersmann 220[153])*: sit   scit quidem
Jacobsio praeeunte Blümner: sed uenit dem   7 artificium *Schef-*
fer: -cii *H*: ⟨aliquid⟩ -cii *Friedländer*   47,3 ueterem *Heinsius*:
uentrem   4 uetare *del. Kaibel, fortasse recte*

zubilden beginnt und nicht bei der Stange bleibt; er hat zwar seine Weisheit studiert, will sich aber nicht plagen. Es ist noch ein anderer da, nicht gerade gelehrt, aber genau, einer der mehr beibringt als er weiß. So kommt er gewöhnlich an den Feiertagen ins Haus, und was man ihm gibt, er ist mit allem zufrieden. Also habe ich jetzt dem Jungen ein paar Büchers mit roten Paragraphen gekauft, weil ich will, daß er für den Hausgebrauch ein bißchen am Jus knabbert. Damit kommt man durchs Leben. Denn mit Bildung ist er schon genug bekleckst. Wenn er abspringen sollte, steht es fest, daß ich ihm ein Handwerk beibringen lasse, entweder Friseurberuf oder Auktionator oder wenigstens Advokat, etwas, was ihm sein Lebtag keiner nehmen kann. Darum predige ich ihm alle Tage: ,Primigenius, glaub mir, was du lernst, lernst du alles für dich. Da sieh dir Philerosen an, den Advokaten: wenn er nicht gelernt hätte, würde er heute am Hungertuche nagen. Gerade eben ging er noch mit der Hucke auf dem Buckel hausieren, jetzt macht er sich sogar gegen Norbanus breit. Bildung ist das beste Tresor, und Handwerk stirbt nie.'"

Derartige Gespräche schwirrten umher, als Trimalchio eintrat, sich die Stirn abwischte, die Hände mit Parfüm wusch und fast ohne Pause sagte: „Nehmts mir nicht übel, liebe Freunde, schon viele Tage macht mein Bauch nicht mit. Auch die Ärzte kennen sich nicht aus. Was mir trotzdem geholfen hat, war Apfelschale und Kienspan in Essig. Ich hoffe trotzdem, er macht sich endlich seinen alten Anstand zur Auflage. Sonst dröhnt mirs um den Magen herum, man denkt, ein Stier. Wenn also einer von euch sein Geschäft machen will, braucht er sich ja nicht genierlich sein! Keiner von uns ist mit Verschluß geboren. Meiner Ansicht nach gibt es keine dermaßene Qual wie Anhalten. Das jedenfalls kann kein Kaiser nicht verbieten. Du lachst, Fortunata, die mich nachts immer kein Auge zutun läßt?

desomnem facere? nec tamen in triclinio ullum vetuo *H*
facere quod se iuvet, et medici vetant continere. vel si
quid plus venit, omnia foras parata sunt: aqua, lasani
6 et cetera minutalia. credite mihi, anathymiasis in cerebrum it et in toto corpore fluctum facit. multos scio
7 sic periisse, dum nolunt sibi verum dicere'. gratias
agimus liberalitati indulgentiaeque eius, et subinde
8 castigamus crebris potiunculis risum. nec adhuc sciebamus nos in medio [lautitiarum], quod aiunt, clivo
laborare. nam commundatis ad symphoniam mensis
tres albi sues in triclinium adducti sunt capistris et
tintinnabulis culti, quorum unum bimum nomencula-
tor esse dicebat, alterum trimum, tertium vero iam
9 se⟨xen⟩nem. ego putabam petauristarios intrasse et
porcos, sicut in circulis mos est, portenta aliqua factu-
10 ros; sed Trimalchio expectatione discussa 'quem' inquit 'ex eis vultis in cenam statim fieri? gallum enim
gallinaceum, penthiacum et eiusmodi nenias rustici
faciunt: mei coci etiam vitulos aeno coctos solent
11 facere'. continuoque cocum vocari iussit, et non ex-
pectata electione nostra maximum natu iussit occidi,
12 et clara voce: 'ex quota decuria es?' cum ille se ex
quadragesima respondisset, 'empticius an' inquit
'domi natus?' 'neutrum' inquit cocus 'sed testamento
13 Pansae tibi relictus sum.' 'vide ergo' ait 'ut diligenter
ponas; si non, te iubebo in decuriam viatorum conici.'
et cocum quidem potentiae admonitum in culinam
48 obsonium duxit, Trimalchio autem miti ad nos vultu

47,5 uetuo *Bücheler*: uetui *H, defendit Petersmann* 177[122] lasani *Bücheler*: lassant   6 anathymiasis *J. F. Gronovius*: anathi-
mia is si   8 lautitiarum *del. Fraenkel*   commundatis *Heinsius*: cum mund-   sexennem *Wehle*: senem   10 aeno coctos
Mentelius: eno cocto *H*: oenococtos *Orioli*   13 cocum quidem
Bücheler: q- c-   potentiae *Scheffer*: -tia

Aber trotzdem verbitte ich keinem im Speisesaal, sich zu erleichtern, und die Ärzte verbieten das Anhalten. Sogar falls es groß kommt, steht auswärts alles bereit: Wasser, Klosetter und die übrigen Requisiten. Glaubt mir, die Flatulenz geht ins Gehirn und macht im ganzen Körper Rumor. Ich weiß von vielen, die so umgekommen sind, indem daß sie sich nicht zur Wahrheit bekennen wollten." Wir danken für seine Großzügigkeit und Nachsicht, nehmen dann aber auch ein Schlückchen ums andere, um das Lachen zu verbeißen. Dabei wußten wir noch nicht, daß wir erst, wie man sagt, mitten im Anstieg schwitzten. Denn als man unter Musik die Tische abgeräumt hatte, wurden, mit Maulkörben und Glöckchen drapiert, drei weiße Schweine in den Speisesaal hereingeführt, von denen laut Ansager das eine zweijährig, das zweite dreijährig, das dritte aber schon sechsjährig war. Ich glaubte, es seien Akrobaten hereingekommen und die Säue würden, wie es vor einer Corona auf der Straße üblich ist, einige Kunststücke vorführen. Aber Trimalchio löste die Spannung und sagte: „Welches von ihnen wünscht ihr sofort tischfertig zu sehen? Nämlich einen Gockelhahn, einen Hackepeter und derlei Schmarren machen die Bauern: meine Köche pflegen ganze Kälber im Kessel garzumachen." Dann ließ er sogleich den Koch kommen und befahl ihm, ohne unsere Wahl abzuwarten, das älteste abzustechen. Darauf laut: „Aus der wievieltsten Arbeitsgruppe bist du?" Auf die Antwort des anderen: „Aus Nummer vierzig" sagte er: „Angekauft oder im Haus geboren?" „Keins von beiden", sagte der Koch, „sondern ich bin dir von Pansa testamentarisch vermacht." „Gib dir also Mühe", sprach er, „etwas Ordentliches auf den Tisch zu bringen; andernfalls werde ich dich in die Meldergruppe stecken lassen." Nun, der Koch ließ sich nach dieser Belehrung über Autorität von seinem Braten in die Küche abführen, Trimalchio aber wandte sich mit Gönnermiene wieder zu

respexit et 'vinum' inquit 'si non placet, mutabo; vos H
2 illud oportet bonum faciatis. deorum beneficio non
emo, sed nunc quicquid ad salivam facit, in suburbano
nascitur eo, quod ego adhuc non novi. dicitur confine
3 esse Tarraciniensibus et Tarentinis. nunc coniungere
agellis Siciliam volo, ut cum Africam libuerit ire, per
4 meos fines navigem. sed narra tu mihi, Agamemnon,
quam controversiam hodie declamasti? ego etiam si
causas non ago, in domusionem tamen litteras didici.
et ne me putes studia fastiditum, II bybliothecas habeo,
unam Graecam, alteram Latinam. dic ergo, si me amas,
5 peristasim declamationis tuae'. cum dixisset Agamemnon: 'pauper et dives inimici erant', ait Trimalchio
'quid est pauper?' 'urbane' inquit Agamemnon et
6 nescio quam controversiam exposuit. statim Trimalchio 'hoc' inquit 'si factum est, controversia non est;
7 si factum non est, nihil est'. haec aliaque cum effusis-
simis prosequeremur laudationibus, 'rogo' inquit
'Agamemnon mihi carissime, numquid duodecim
aerumnas Herculis tenes, aut de Ulixe fabulam, quemadmodum illi Cyclops pollicem †poricino† extorsit?
8 solebam haec ego puer apud Homerum legere. nam
Sibyllam quidem Cumis ego ipse oculis meis vidi in
ampulla pendere, et cum illi pueri dicerent: Σίβυλλα,
τί θέλεις; respondebat illa: ἀποθανεῖν θέλω.'

49 nondum efflaverat omnia, cum repositorium cum
2 sue ingenti mensam occupavit. mirari nos celeritatem

48,4 etiam *Wehle*: autem   domusionem *Wehle*: diuisione
II *post Mentelium Bücheler*: tres   7 poricino] forcipe *Studer*
49,1 effutierat *Heinsius*

uns und sagte: „Wenn der Wein nicht recht ist, lasse ich wechseln; ihr sollt ihn euch schmecken lassen. Gott sei Dank muß ich nicht kaufen, sondern was euch jetzt das Wasser im Munde zusammenlaufen läßt, gedeiht alles auf dem Landgut von mir, das ich selber noch gar nicht kenne. Es soll an meine Besitzungen bei Tarracina und Tarent grenzen. Jetzt will ich Sizilien an meine Grundstückchen anschließen, um, falls ich einmal auf Afrika gehen möchte, durch eigenes Gebiet zu segeln. – Aber erzähl du mir, Agamemnon: über was für ein Rechtsproblem hast du heute gelesen? Obschon ich vor Gericht nicht auftrete, habe ich trotzdem für den Hausgebrauch Wissenschaft gelernt. Und damit du nicht denkst, ich mache mich nichts aus Bildung: zwei Bibliotheken habe ich, eine griechisch, eine lateinisch. Sag also, sei so nett, das Sujet deiner Vorlesung!" Als Agamemnon gesagt hatte: „Ein Armer und ein Reicher waren verfeindet", sprach Trimalchio: „Was ist ein Armer?" „Charmant", sagte Agamemnon und setzte irgend ein Rechtsproblem auseinander. Gleich sagte Trimalchio: „Wenn dies ein Faktum ist, ist es kein Rechtsproblem; wenn es kein Faktum ist, ist es nichts". Als wir diese und andere Bemerkungen mit den überschwänglichsten Komplimenten bedachten, sagte er: „Bitte sehr, mein teuerster Agamemnon, hast du vielleicht die zwölf Heldentaten des Herkules im Kopf oder die Geschichte von Odysseus, wie ihm der Zyklop mit einer Zange den Daumen ausgedreht hat? Als Junge habe ich das immer bei Homer gelesen. Die Sibylle habe ich in Cumä ja selber mit eigenen Augen gesehen, wie sie in einem Ballon schwebte, und wenn die Buben ihr auf Griechisch sagten: ‚Sibylle, dein Wille?', antwortete sie ebenso: ‚Tod ist mein Wille.'"

Noch hatte er nicht alles an den Mann gebracht, als eine Platte mit einem riesigen Schwein den ganzen Tisch in Anspruch nahm. Wir gerieten in Staunen über die Schnellig-

coepimus et iurare, ne gallum quidem gallinaceum *H*
3 tam cito percoqui potuisse, tanto quidem magis, quod
longe maior nobis porcus videbatur esse quam paulo
ante apparuerat. deinde magis magisque Trimalchio
4 intuens eum 'quid? quid?' inquit 'porcus hic non est
exinteratus? non mehercules est. voca, voca cocum
5 in medio'. cum constitisset ad mensam cocus tristis et
diceret se oblitum esse exinterare, 'quid? oblitus?'
Trimalchio exclamat 'putes illum piper et cuminum
6 non coniecisse. despolia'. non fit mora, despoliatur
cocus atque inter duos tortores maestus consistit. de-
precari tamen omnes coeperunt et dicere: 'solet fieri;
rogamus, mittas; postea si fecerit, nemo nostrum pro
7 illo rogabit'. ego, crudelissimae severitatis, non potui
me tenere, sed inclinatus ad aurem Agamemnonis
'plane' inquam 'hic debet servus esse nequissimus;
aliquis oblivisceretur porcum exinterare? non me-
8 hercules illi ignoscerem, si piscem praeterisset'. at non
Trimalchio, qui relaxato in hilaritatem vultu 'ergo'
inquit 'quia tam malae memoriae es, palam nobis illum
9 exintera'. recepta cocus tunica cultrum arripuit por-
cique ventrem hinc atque illinc timida manu secuit.
10 nec mora, ex plagis ponderis inclinatione crescentibus
tomacula cum botulis effusa sunt.
50   plausum post hoc automatum familia dedit et 'Gaio
feliciter' conclamavit. nec non cocus potione honoratus est et[iam] argentea corona, poculumque in lance
2 accepit Corinthia. quam cum Agamemnon propius

49,3 ⟨et⟩ tanto *coniecit Bücheler*   apparuerat *Heinsius*: aper
fuerat   6 mittas *Heinsius*: -es   10 botulis *Scheffer*: -lius
50,1 honoratus *Scheffer*: oner-   etiam *H*: corr. *Bücheler*

keit und schworen, nicht einmal ein Gockelhahn hätte so rasch gargekocht werden können, dies um so mehr, als die Sau uns weit größer zu sein schien als sie sich kurz zuvor präsentiert hatte. Darauf faßte Trimalchio sie scharf und immer schärfer ins Auge und sagte: „Was? Was? Ist diese Sau nicht ausgenommen? Weiß Gott, sie ist nicht! Los, los, her mit den Koch!" Als der Koch bekümmert an die Tafel getreten war und sagte, er habe das Ausnehmen vergessen, poltert Trimalchio los: „Was? Vergessen? Vermutlich hat er nicht einmal Pfeffer und Kümmel zugesetzt! Ausziehen!" Man macht kein Federlesen, der Koch wird ausgezogen und kommt niedergeschlagen zwischen zwei Prügelknechten zu stehen. Doch verlegten sich alle darauf, um Schonung zu bitten und zu sagen: „Das kommt vor; bitte, laß ihn laufen; macht er es wieder, wird niemand von uns ein Wort für ihn einlegen." Ich in meiner blutrünstigen Strenge konnte nicht an mich halten, sondern neigte mich an Agamemnons Ohr und sagte: „Das muß denn doch ein ausgemachter Taugenichts von Sklave sein; wie kann jemand nur vergessen, eine Sau auszunehmen? Nein, ich würde ihm weiß Gott nicht verzeihen, wenn er es bei einem Fisch unterlassen hätte." Nicht so Trimalchio, der mit entspannter Miene jetzt vergnügt sagte: „Also weil du dich so schlecht besinnst, nimm die da vor unseren Augen aus!" Der Koch zog sein Hemd wieder an, ergriff ein Schlachtmesser und schnitt der Sau in vorsichtiger Manipulation hüben und drüben den Bauch auf. Im Augenblick gaben die Ritze einem Druck nach, weiteten sich und ließen Bratwürste mit Plunzen hervorkullern.

Auf diesen Trick spendete die Dienerschaft Beifall und rief im Chor: „Gajus hoch!" Obendrein bekam der Koch einen Ehrentrunk und einen Silberkranz, dazu wurde ihm der Pokal auf einer Schale aus korinthischer Bronze ausgehändigt. Als Agamemnon diese näher betrachtete, sprach

consideraret, ait Trimalchio: 'solus sum qui vera *H*
3 Corinthea habeam.' expectabam, ut pro reliqua inso-
4 lentia diceret sibi vasa Corintho afferri. sed ille melius:
'et forsitan' inquit 'quaeris, quare solus Corinthea vera
possideam: quia scilicet aerarius, a quo emo, Corinthus
vocatur. quid est autem Corintheum, nisi quis Corin-
5 thum habet? et ne me putetis nesapium esse, valde
bene scio, unde primum Corinthea nata sint. cum
Ilium captum est, Hannibal, homo vafer et magnus
stelio, omnes statuas aeneas et aureas et argenteas in
unum rogum congessit et eas incendit; factae sunt in
6 unum aera miscellanea. ita ex hac massa fabri sustulerunt et fecerunt catilla et paropsides ⟨et⟩ statuncula.
sic Corinthea nata sunt, ex omnibus in unum, nec hoc
7 nec illud. ignoscetis mihi quod dixero: ego malo mihi
vitrea, certe non olunt. quod si non frangerentur,
51 mallem mihi quam aurum; nunc autem vilia sunt. fuit
tamen faber qui fecit phialam vitream, quae non fran-
2 gebatur. admissus ergo Caesarem est cum suo munere

⟨*⟩

deinde fecit reporrigere Caesarem et illam in pavimen-
3 tum proiecit. Caesar non pote valdius quam expavit.
at ille sustulit phialam de terra; collisa erat tamquam
4 vasum aeneum; deinde martiolum de sinu protulit et
5 phialam otio belle correxit. hoc facto putabat se solium
Iovis tenere, utique postquam ille dixit: "numquid
6 alius scit hanc condituram vitreorum?" vide modo.
postquam negavit, iussit illum Caesar decollari: quia

50,4 *exspectabam* nisi quis a Corintho   habet *Bücheler*: -eat
5 stelio *Heinsius*: scelio   6 ⟨et⟩ *add. Scheffer*   7 quod dixero
Muncker: quid d-   non olunt *praeeunte Jahnio Bücheler*: nolunt
51,2 ergo ad Caes- *Heinsius*   *lac. ind. Fuchs*   Caesarem *Schef-*
fer: -ri   5 solium *Heinsius*: coleum   ille *Heinsius*: illi *H*:
⟨Caesar⟩ illi *Bücheler*

Trimalchio: „Ich bin als einziger in der Lage, echte Korintherbronzen zu haben." Ich wartete darauf, daß er dreist wie sonst sagen würde, er bekomme die Gefäße aus Korinth geliefert. Aber es kam noch besser, denn er sagte: „Na, vielleicht fragst du, wieso ich allein echte Korinther besitze: weil nämlich der Kupferschmied, bei dem ich kaufe, Korinthus heißt. Was ist denn eine Korintherbronze, wenn man nicht seinen Korinthus hat? Und damit ihr mich nicht für einen Ignoranten haltet: ich weiß bestens, wie die Korintherbronzen einmal zustandegekommen sind. Wenn Troja eingenommen war, hat Hannibal, ein Pfiffikus und Erzhalunke, alle Statuen aus Bronze und Gold und Silber auf eine Brandstelle tragen und sie anzünden lassen; da sind sie zusammen ein Mischmasch von Metallen geworden. Jetzt haben die Fabrikanten von dieser Masse geholt und Näpfe und Schüsseln und Statuetten gemacht. So sind die Korinther zustandegekommen, aus allem zusammen, nicht dies und nicht das. Ihr werdet mir nicht übelnehmen, was ich sage: mir persönlich ist Glasgeschirr lieber, jedenfalls stunkt es nicht. Wenn es sogar unzerbrechlich wäre, hätte ich es lieber als Gold; so aber ist es ordinär. Doch hat es einen Fabrikanten gegeben, der eine Glasschale gemacht hat, die unzerbrechlich war. Er bekam also bei'n Kaiser Audienz mit seinem Geschenk. ... Dann ließ er sie sich von dem Kaiser wieder reichen und warf sie auf den Estrich hin. Der Kaiser erschrak so, daß es mehrer nicht geht. Dagegen der andere hob die Schale vom Boden auf; sie war zerbeult wie ein Bronzegefäß; dann holte er ein Hämmerchen aus der Tasche und brachte die Schale seelenruhig hübsch in Ordnung. Nach dieser Leistung glaubte er der Herrgott persönlich zu sein, zumal nachdem der andere sagte: ,Versteht sich etwa noch jemand darauf, solche Glasgefäße herzustellen?' Jetzt aufgepaßt! Nachdem er Nein gesagt hatte, ließ ihm der Kaiser den Kopf abschlagen: weil wir nämlich, wenn es

52 enim, si scitum esset, aurum pro luto haberemus. in *H*
argento plane studiosus sum. habeo scyphos urnales
plus minus ⟨*⟩ quemadmodum Cassandra occidit
filios suos, et pueri mortui iacent sic ut vivere putes.
2 habeo capidem quam reliquit patrono ⟨meo⟩ rex
Minos, ubi Daedalus Niobam in equum Troianum
3 includit. nam Hermerotis pugnas et Petraitis in poculis
habeo, omnia ponderosa; meum enim intellegere nulla
pecunia vendo.'
4   haec dum refert, puer calicem proiecit. ad quem
respiciens Trimalchio 'cito' inquit 'te ipsum caede,
5 quia nugax es'. statim puer demisso labro ⟨ora⟩re. at
ille 'quid me' inquit 'rogas? tamquam ego tibi moles-
6 tus sim. suadeo, a te impetres, ne sis nugax'. tandem
ergo exoratus a nobis missionem dedit puero. ille dimissus circa mensam percucurrit   ⟨*⟩
7 et 'aquam foras, vinum intro' clamavit. excipimus urbanitatem iocantis, et ante omnes Agamemnon qui
8 sciebat quibus meritis revocaretur ad cenam. ceterum
laudatus Trimalchio hilarius bibit et iam ebrio proxi-
mus 'nemo' inquit 'vestrum rogat Fortunatam meam
ut saltet? credite mihi: cordacem nemo melius ducit'.
9 atque ipse erectis supra frontem manibus Syrum his-
trionem exhibebat concinente tota familia: madeia
10 perimadeia. et prodisset in medium, nisi Fortunata ad
aurem accessisset; [et] credo, dixerit non decere gravi-
11 tatem eius tam humiles ineptias. nihil autem tam inae-

52,1 *lac. ind. Heinsius*   sic ut uiuere *Heinsius*: sicuti uere
2 quam *patav.*: quas   patrono ⟨meo⟩ rex Minos *scripsi*: patro-
norum meus *H* (rex *compendiose scriptum confusum cum compen-
dio* -rum [*fere sic* ♃], *quo passim utitur H*): patrono ⟨meo⟩ Mum-
mius *Bücheler* (*at Trimalchio Corinthum a Mummio captam esse
ignorat: cf. c. 50,5*)   **3** Hermerotis *Reinesius*: hem-   pugnas
et *Burmannus*: pugnasset   **5** labro orare *Scheffer*: labrore
orare ⟨coepit⟩ *Strelitz*   **6** *lac. ind. Bücheler*   **10** [et] *del.*
Bücheler

heraus wäre, Gold für einen Dreck halten würden. Für Silbergerät interessiere ich mich mächtig. Riesenhumpen habe ich an die ..., wie Kassandra ihre Söhne erstitcht, und die Jungen liegen im Tod so da, als wären sie lebendig. Ich habe eine Henkelschale, die König Minos meinem früheren Herrn hinterlassen hat, wo Dädalus Niobe ins trojanische Pferd einsperrt. Die Gladiatorenkämpfe von Hermeros und Petraites habe ich ja auf Pokalen, alle hochkarätig; denn meine Kennerschaft gebe ich um kein Geld her."

Während er dies auseinandersetzte, ließ ein Bursche einen Kelch fallen. Trimalchio blickte zu ihm hin und sagte: „Schnell, gib dir selber Prügel, weil du ein Trottel bist!" Der Bursche gleich den Mund verzogen und um Gnade gebettelt. Dagegen sagte der andere: „Was bittest du mich? Als ob ich es wäre, der dir im Wege steht. Ich rate, erreich bei dir selber, kein Trottel zu sein!" Also schließlich gab er unserem Betteln nach und ließ den Burschen laufen. Als der frei war, machte er seine Runde um die Tafel. ... Und er kommandierte: „Raus mit dem Wasser, rein mit dem Wein!" Wir zeigen uns für den charmanten Witz empfänglich, und zwar vor allen anderen Agamemnon, der wohl wußte, womit er sich eine neue Einladung zum Souper verdienen könne. Im übrigen zechte Trimalchio auf die Komplimente hin immer vergnügter und sagte, schon beinahe betrunken: „Niemand von euch fordert meine Fortunata zum Tanzen auf? Ihr könnt mir glauben: einen Cancan legt niemand besser hin." Und selber reckte er die Hände über die Stirn und markierte den Schauspieler Syrus, während die ganze Dienerschaft dazu im Chor „Trallala, Tri-Tra-Trallala" sang. Und er wäre in die Mitte vorgegangen, wenn nicht Fortunata sich ihm genähert hätte, um ihm etwas ins Ohr zu flüstern; vermutlich dürfte sie gesagt haben, seiner Würde stünden solche Plebejerfarcen nicht an. Es war doch ein

quale erat; nam modo Fortunatam ⟨verebatur⟩, modo *H*
ad naturam suam revertebatur.

53 et plane interpellavit saltationis libidinem actuarius,
2 qui tamquam urbis acta recitavit: 'VII. kalendas sex-
tiles: in praedio Cumano quod est Trimalchionis nati
sunt pueri XXX, puellae XL; sublata in horreum
ex area tritici millia modium quingenta; boves domiti
3 quingenti. eodem die: Mithridates servus in crucem
4 actus est, quia Gai nostri genio male dixerat. eodem
die: in arcam relatum est quod collocari non potuit,
5 sestertium centies. eodem die: incendium factum est
in hortis Pompeianis, ortum ex aedibus Nastae vilici'.
6 'quid?' inquit Trimalchio 'quando mihi Pompeiani
7 horti empti sunt?' 'anno priore' inquit actuarius 'et
8 ideo in rationem nondum venerunt'. excanduit Trimalchio et 'quicumque' inquit 'mihi fundi empti fue-
rint, nisi intra sextum mensem sciero, in rationes meas
9 inferri vetuo'. iam etiam edicta aedilium recitabantur
et saltuariorum testamenta, quibus Trimalchio cum
10 elogio exheredabatur; iam nomina vilicorum et repu-
diata a circ[um]itore liberta in balneatoris contubernio
deprehensa et atriensis Baias relegatus; iam reus factus
dispensator et iudicium inter cubicularios actum.

11 petauristarii autem tandem venerunt. baro insulsis-
simus cum scalis constitit puerumque iussit per gradus
et in summa parte odaria saltare, circulos deinde arden-
12 tes trans⟨il⟩ire et dentibus amphoram sustinere. mira-
batur haec solus Trimalchio dicebatque ingratum artificium esse. ceterum duo esse in rebus humanis quae

---

52,11 uerebatur *add. Heinsius*   suam reuertebatur *hic posuit
Bücheler, in superiore versu post* Fortunatam *habet H*   53,10 cir-
cumitore *H: corr. Bücheler (cf. Heraeus 72)*   11 transilire *Heinsius*: transire

beispielloses Hin und Her: bald hatte er vor Fortunata Respekt, bald fiel er wieder in sein Naturell zurück.

Da gebot seiner Tanzlust vollends der Aktuar Einhalt, der wie aus dem Stadtanzeiger vorlas: „26. Juli. Auf dem Landgut bei Cumä, das Trimalchio gehört, wurden geboren Knaben 30, Mädchen 40; von der Tenne auf den Speicher überführt Weizen 500.000 Scheffel; Ochsen eingefahren 500. Am gleichen Tag: der Sklave Mithridates wurde ans Kreuz geschlagen, weil er den Genius unseres Herrn Gajus gelästert hatte. Am gleichen Tag: in den Tresor wurden verbracht als nicht investierter Überschuß 10 Millionen. Am gleichen Tag: es gab einen Brand im Pompejanischen Park, ausgebrochen im Haus des Verwalters Nasta." „Was?" sagte Trimalchio, „wann wurde der Pompejanische Park für mich gekauft?" „Im Vorjahr", sagte der Aktuar, „und deshalb wurde er noch nicht gebucht." Trimalchio geriet in Hitze und sagte: „Soweit irgendwelche Grundstücke für mich gekauft werden, ohne daß ich es binnen sechs Monaten erfahre, verbiete ich mir Eintragung in meine Bücher." Jetzt kamen gar Erlasse der Gutspolizei zur Verlesung und Testamente von Forstleuten, in denen Trimalchio mit Begründung von der Erbschaft ausgeschlossen wurde; jetzt Listen von Verwaltern und die Scheidung eines Kontrolleurs von einer Freigelassenen, die man in flagranti mit einem Bademeister erwischt hatte, und die Verweisung eines Hausmeisters nach Bajä; jetzt die Versetzung eines Kassierers in den Anklagezustand und eine Gerichtsverhandlung zwischen Kammerdienern.

Aber endlich traten Akrobaten auf. Ein ganz abgeschmackter Rüpel stellte sich mit einer Leiter hin und ließ einen Knaben auf den Sprossen sowie ganz oben Couplets tanzen, dann durch brennende Reifen springen und mit den Zähnen einen Vorratstopf halten. Eindruck machte das nur auf Trimalchio, und er sagte, es sei eine brotlose Kunst. Im

libentissime spectaret, petauristarios et cornic⟨in⟩es; *H*
13 reliqua [animalia] acroamata tricas meras esse. 'nam et
comoedos' inquit 'emeram, sed malui illos Atell⟨ani⟩am
facere, et choraulen meum iussi Latine cantare.'
54 cum maxime haec dicente eo puer ⟨*⟩ Trimalchionis
delapsus est. conclamavit familia, nec minus convivae,
non propter hominem tam putidum, cuius etiam cervices fractas libenter vidissent, sed propter malum
exitum cenae, ne necesse haberent alienum mortuum
2 plorare. ipse Trimalchio cum graviter ingemuisset
superque bracchium tamquam laesum incubuisset,
concurrere medici, et inter primos Fortunata crinibus
passis cum scypho, miseramque se atque infelicem
3 proclamavit. nam puer quidem qui ceciderat circum-
ibat iam dudum pedes nostros et missionem rogabat.
pessime mihi erat, ne his precibus per ⟨rid⟩iculum
aliquid catastropha quaereretur. nec enim adhuc ex-
ciderat cocus ille qui oblitus fuerat porcum exinterare.
4 itaque totum circumspicere triclinium coepi, ne per
parietem automatum aliquod exiret, utique postquam
servus verberari coepit, qui bracchium domini contu-
5 sum alba potius quam conchyliata involverat lana. nec
longe aberravit suspicio mea; in vicem enim poenae
venit decretum Trimalchionis quo puerum iussit
liberum esse, ne quis posset dicere tantum virum esse
a servo vulneratum.   *HLC*
55 | comprobamus nos factum | et quam in praecipiti res *H*
2 humanae essent | vario sermone garrimus. | 'ita' inquit *HLC*
                                                                        H

53,12 cornicines *Heinsius*: cornices   animalia *del. Bücheler*
acroamata tricas *Scheffer*: cromataricas   13 sed *Heinsius*: et
Atellaniam *Bücheler*: atellam *H*: Atellanam *Scheffer*   54,1 eo
scripsi (*cf. 74,1*): Gaio   *lac. ind. Scheffer*   3 per ridiculum
Keller: periculo   5 poenae *Hadrianides*: cene   uulneratum
Scheffer: liberatum (*natum ex* liberum; *cf. c. 34,8* uertebrae ...
uerterentur)

übrigen gebe es unter den Dingen dieser Welt zweierlei, was er sich für sein Leben gern ansehe, Akrobaten und Hornisten; die sonstigen Konzerte seien der reinste Schmarren. „Ich hatte mir ja“, sagte er, „auch Leute vom Singspiel gekauft, aber es war mir lieber, daß sie Volkstheater machen, und meinen griechischen Flötisten habe ich angewiesen, lateinische Musik zu spielen.“

Gerade als er dies sagte, stürzte der Knabe ⟨auf den Arm⟩ Trimalchios herunter. Die ganze Dienerschaft schrie auf, ebenso die Gäste, nicht wegen des höchst unappetitlichen Kerls, den sie gern sogar sein Genick hätten brechen sehen, sondern aus Angst, das Souper könnte übel ausgehen und sie würden an der Totenklage für einen Unbekannten teilnehmen müssen. Trimalchio selbst stöhnte heftig auf und legte sich über seinen Arm, als wäre er verletzt; dann ein Auflauf von Ärzten und an ihrer Spitze Fortunata mit fliegenden Haaren, einen Becher in der Hand, dabei Weh und Ach über sich schreiend. Ja, der Knabe, der gefallen war – der machte schon längst uns zu Füßen die Runde und bat um Gnade. Mir war ganz übel vor Unruhe, diese Bitten möchten über irgendeine Albernheit auf einen Coup hinauslaufen. Denn noch war mir der Koch von vorhin nicht entfallen, der vergessen hatte, die Sau auszunehmen. So begann ich im ganzen Speisesaal Umschau zu halten, ob nicht irgendein Mechanismus durch die Wand daherkäme, zumal nachdem man den Sklaven auszupeitschen begann, der den geprellten Arm des Hausherrn mit weißer statt vielmehr mit purpurrot gefärbter Wolle verbunden hatte. Und mein Verdacht war nicht ganz abwegig; denn an Stelle einer Strafe erging ein Erlaß Trimalchios, mit dem er dem Knaben die Freiheit schenkte, damit niemand sagen könnte, ein Held wie er sei von einem Sklaven verwundet worden.

Wir rufen dazu Bravo und bequackeln mit allerlei Redensarten die Unbeständigkeit des menschlichen Daseins. „Ja“,

Trimalchio 'non oportet hunc casum sine inscriptione *H*
transire' statimque codicillos poposcit et non diu cogi-
tatione distorta haec recitavit:

3 | 'quod non expectes, ex transverso fit ⟨ubique, *HLφ*
    nostra⟩ et supra nos Fortuna negotia curat.
    | quare da nobis vina Falerna, puer'.   *H*

4 ab hoc epigrammate | coepit poetarum esse men- *HLO*
    tio diuque summa carminis penes Mopsum Thracem
5 memorata est, donec Trimalchio 'rogo' inquit 'ma-
    gister, quid putas inter Ciceronem et Pub⟨li⟩lium
    interesse? ego alterum puto disertiorem fuisse, alte-
    rum honestiorem. quid enim his melius dici potest?
6   "luxuriae rictu Martis marcent moenia.
      tuo palato clausus pavo pascitur
      plumato amictus aureo Babylonico,
      gallina tibi Numidica, tibi gallus spado;
    5 ciconia etiam, grata peregrina hospita
      pietaticultrix gracilipes crotalistria,
      avis exul hiemis, titulus tepidi temporis,
      nequitiae nidum in caccabo fecit tuae.
      quo margaritam caram tibi, bacam Indicam?
   10 an ut matrona ornata phaleris pelagiis
      tollat pedes indomita in strato extraneo?
      zmaragdum ad quam rem viridem, pretiosum vitrum?
      quo Carchedonios optas ignes lapideos?
      nisi ut scintillet probitas e carbunculis.
   15 aequum est induere nuptam ventum textilem,
      palam prostare nudam in nebula linea?"

56 | quod autem' inquit 'putamus secundum litteras *H*

55,3 ⟨u- n-⟩ *add. Heinsius*   supra *Heinsius*: super   *conieci*
ex tr- ⟨subito⟩ fit: ⟨more⟩ superba suo F- n- c-   5 Publium:
corr. Bücheler   6, v. 2 pascitur *Scaliger*: n-   v. 3 Babylonicus
Fraenkel   v. 7 hieme *Fraenkel*   v. 8 tuae *Fraenkel*: meo
v. 14 carbunculos *aut* -lus: *corr. Bücheler*   v. 15 inducere: *corr.*
Sambucus   v. 16 linea *Sambucus*: lun(a)e

68

sagte Trimalchio, „dieser Vorfall darf nicht ohne schrift-
liche Verewigung bleiben", verlangte gleich eine Schreib-
tafel, zerbrach sich nicht lange den Kopf und las folgendes
vor:

„Was man nicht erwartet, kommt oft unverhofft.
Nach Fortuna gehts: der Mensch denkt, und sie lenkt.
Drum, Bursch, schenk ein Falernerwein!"

Von diesem Epigramm aus kam man auf Dichter zu
sprechen, und lange war davon die Rede, daß der Thraker
Mopsus in der Poesie die Spitze halte, bis Trimalchio sagte:
„Bitte sehr, Professor, was ist nach deiner Meinung der
Unterschied zwischen Cicero und Publilius? Ich glaube, der
eine hatte das größere Redetalent, der andere die größere
Moral. Denn kann man etwas besser ausdrücken als so?

,Roms Burg zerbirst im breiten Schlund des Luxus.
Für deinen Gaumen zieht man im Gehege
den goldgeschweiften Pfau aus Morgenland,
für dich, für dich nur Perlhuhn und Kapaun;
sogar der liebe Gast aus fernen Zonen,
Storch Langbein, treubesorgter Klapperschnabel,
im Winter flüchtig, linder Lüfte Künder,
erkor sich deinen Schlemmertopf zum Nest.
Was brauchst du Indiens teure Perlenkugeln?
Damit im Meergeschmeid die Frau und Mutter
auf fremdem Lager frech die Beine hebt?
Wozu denn kostbares Smaragdkristall?
Was willst du mit Karchedons Flimmersteinen?
Daß aus Rubinen Anstand blitzen soll!
Schickt sich für Ehefrau ein Hauch von Kleid,
nach feiler Dirnen Art ein Florkostüm?'"

„Aber was", fuhr er fort, „scheint uns nach der Bücher-
wissenschaft das schwerste Handwerk? Mir scheint, Arzt

2 difficillimum esse artificium? ego puto medicum et *H*
   nummularium: medicus, qui scit quid homunciones
   intra praecordia sua habeant et quando febris veniat,
3 etiam si illos odi pessime, quod mihi iubent saepe
   anatinam parari; nummularius, qui per argentum aes
4 videt. nam mutae bestiae laboriosissimae boves et
   oves: boves, quorum beneficio panem manducamus;
5 oves, quod lana illae nos gloriosos faciunt. et facinus
6 indignum, aliquis ovillam est et tunicam habet. apes
   enim ego divinas bestias puto, quae mel vomunt, etiam
   si dicuntur illud a Iove afferre; | ideo autem pungunt, *HL*
   quia ubicumque dulce est, ibi et acidum invenies'.

7 | iam etiam philosophos de negotio deiciebat, cum *H*
8 pittacia in scypho circumferri coeperunt, puerque
   super hoc positus officium apophoreta recitavit.
   'argentum sceleratum': allata est perna, supra quam
   acetabula erant posita. 'cervical': offla collaris allata
   est. 'serisapia et contumelia': xerophagiae e sale datae
9 sunt et contus cum malo. 'porri et persica': flagellum
   et cultrum accepit; 'passeres et muscarium': uvam
   passam et mel Atticum. 'canale et pedale': lepus et
   solea est allata. 'cenatoria et forensia': offlam et tabulas
   accepit; 'muraena et littera': murem cum rana alligata
10 fascemque betae. diu risimus: sexcenta huiusmodi
   fuerunt, quae iam exciderunt memoriae meae.
57   ceterum Ascyltos, intemperantis licentiae, cum omnia sublatis manibus eluderet et usque ad lacrimas ride-
   ret, unus ex conlibertis Trimalchionis excanduit – is

56,3 anethinam *Jahn*   5 est et *Scheffer*: esset   8 xerophagiae *Reiske*: aecrophagie   e sale *Burmannus*: saele   contus
Burmannus: centus   9 canale ... allata *huc transp. Fraenkel,*
versu proximo inter accepit *et* muraena *habet H*   accepit *post*
betae *add. Bücheler*   10 exciderunt *Hadrianides*: cecid-

und Wechsler: der Arzt, weil er weiß, was die Menschen-
kinder inwendig hinter ihren Rippen haben und wann das
Fieber kommt, obschon ich die Leute auf den Tod nicht
leiden kann, weil sie mir immer wieder Entenfleisch ver-
ordnen; der Wechsler, weil er unter der Silberschicht das
Kupfer sieht. Von dem stummen Vieh müssen sich ja
Ochsen und Schafe am meisten plagen: die Ochsen, denen
wir es verdanken, daß wir Brot zu beißen haben; die Schafe,
weil sie dafür sorgen, daß wir uns mit Wolle herausputzen
können. Wirklich eine Ungehörigkeit: einer verspeist
Hammelfleisch und hat Unterzeug an. Die Bienen halte ich
ja für geniale Tiere, weil sie Honig spucken, obschon man
sagt, daß sie ihn von Jupiter holen; stechen tun sie aber
darum, weil man überall, wo Süßes ist, auch Scharfes
antreffen kann."

Bereits wollte er auch die Philosophen außer Gefecht
setzen, als man in einem Becher Lose herumzureichen
begann und ein mit dieser Aufgabe betrauter Bursche die
Souvenirs verlas. „Eßgerät mit Flecken": man brachte
Schinkenflecke, auf denen Essigkännchen standen. „Nacken-
polster": eine Speckseite wurde gebracht. „Salpeter und
Mineral": es wurden Salzbrezeln gereicht und ein Stollen mit
einem Aal. „Drescher und Schnitter": der Mann bekam
Peitsche und Messer; „Röschen und Wespenschwarm":
Rosinen und attischen Honig. „Lampe und Lehmkloß": ein
Hase und eine Scholle wurden gebracht. „Schürze und
Schal": der Mann bekam einen Schürzkuchen und eine
Schale; „Muskateller und Alphabet": ein Mäuschen auf
einem Teller und zusammengehaftete rote Beete. Wir
haben viel gelacht: es gab zahllose Scherze dieser Art, die
mir inzwischen entfallen sind.

Als sich jetzt Askyltos in seiner unbändigen Ausgelassen-
heit über alles mit hochgeworfenen Armen mokierte und
schier Tränen lachte, geriet einer von Trimalchios Mitfrei-

2 ipse qui supra me discumbebat – et 'quid rides' inquit *H*
'vervex? an tibi non placent lautitiae domini mei? tu
enim beatior es et convivare melius soles. ita tutelam
huius loci habeam propitiam, ut ego si secundum illum
3 discumberem, iam illi balatum clusissem. bellum po-
mum, qui rideatur alios; larifuga nescio quis, noctur-
nus, qui non valet lotium suum. ad summam, si cir-
cumminxero illum, nesciet qua fugiat. non mehercules
soleo cito fervere, sed in molle carne vermes nascuntur.
4 ridet. quid habet quod rideat? numquid pater fetum
emit lamna? eques Romanus es: et ego regis filius.
"quare ergo servivisti?" quia ipse me dedi in servi-
tutem et malui civis Romanus esse quam tributarius.
5 et nunc spero me sic vivere, ut nemini iocus sim. homo
inter homines sum, capite aperto ambulo; assem aera-
rium nemini debeo; constitutum habui numquam;
6 nemo mihi in foro dixit "redde quod debes". glebulas
emi, lamellulas paravi; viginti ventres pasco et canem;
contubernalem meam redemi, ne quis in ⟨capillis⟩
illius manus tergeret; mille denarios pro capite solvi;
sevir gratis factus sum; spero, sic moriar, ut mortuus
7 non erubescam. tu autem tam laboriosus es, ut post
te non respicias? in alio peduclum vides, in te ricinum
8 non vides. tibi soli ridicl[e]i videmur; ecce magister

57,2 clusissem *Friedländerum secutus Ernout*: dux-   3 molli
patav.   5 sum *Burmannus*: suos   6 capillis *add. Burmannus*

gelassenen – eben der Mann, der oberhalb von mir zu Tische lag – in Hitze und sagte: „Was lachst du Hammel? Gefallen dir vielleicht die Finessen meines Meisters nicht? Du bist natürlich höher gestellt und bessere Gesellschaftens gewöhnt. So wahr mir der Schutzgeist dieses Fleckchens Erde beistehen soll: läge ich neben dem Kerl zu Tisch, hätte ich längst sein Geblöke zum Schweigen gebracht! Ein Pausback und will sich über andere eins lachen; ein hergelaufener Strolch, ein Dunkelmann, der seine eigene Jauche nicht wert ist. Kurz und gut, wenn ich um den Kerl einen Kreis pisse, wird er nicht wissen, wo er hinauskann. Ich laufe weiß Gott sonst nicht leicht über, aber in schmieriges Fleisch gibt es Maden. Er lacht. Was hat er zu lachen? Hat sich sein Vater etwa seinen Nachwuchs für Zaster gekauft? Du bist römischer Ritter: na, ich ein Prinz. ‚Warum hast du dann als Sklave gedient?‘ Weil ich mich selbst in Sklaverei geliefert habe und lieber römischer Bürger sein wollte als Kopfsteuer zahlen. Na, jetzt lebe ich hoffentlich so, daß ich für keinen ein Gespött bin. Ein Mensch unter Menschen bin ich, muß meinen Kopf vor den Leuten nicht verstecken; keinem bin ich einen roten Heller schuldig; vor Gericht habe ich noch nie gemußt; noch keiner hat mich auf dem Marktplatz angesprochen: ‚Zahle deine Schulden!‘ Ein paar Quadratmeter habe ich gekauft, ein bißchen Zaster habe ich hergeschafft; zwanzig Mägen füttere ich und einen Hund; meine Kumpanin habe ich freigekauft, damit sich niemand an ihren Haaren die Hände trocknet; tausend Mark habe ich für meine Freilassung bezahlt; in den Sechserrat bin ich umsonst gekommen; ich hoffe, ich sterbe einmal so, daß ich als Leiche nicht rot werden muß. Aber du hast wohl so viel zu schuften, daß du nicht hinter dich gucken kannst? Beim anderen siehst du die kleinste Laus, bei dir siehst du keinen Holzbock. Du bist der einzige, dem wir komisch vorkommen; sieh dir deinen Professor an, einen Mann mit mehr

tuus, homo maior natus: placemus illi. tu lacticulosus, *H*
nec mu nec ma argutas, vasus fictilis, immo lorus in
9 aqua, lentior, non melior. tu beatior es: bis prande,
bis cena. ego fidem meam malo quam thesauros. ad
summam, quisquam me bis poposcit? annis quadra-
ginta servivi; nemo tamen sciit utrum servus essem
an liber. et puer capillatus in hanc coloniam veni; ad-
10 huc basilica non erat facta. dedi tamen operam ut
domino satis facerem, homini maiesto et dignitos[s]o,
cuius pluris erat unguis quam tu totus es. et habebam
in domo qui mihi pedem opponerent hac illac; tamen
11 – genio illius gratias – enatavi. haec sunt vera athla;
nam [in] ingenuum nasci tam facile est quam "accede
istoc". quid nunc stupes tamquam hircus in ervilia?'
58 post hoc dictum Giton, qui ad pedes stabat, risum
iam diu compressum etiam indecenter effudit. quod
cum animadvertisset adversarius Ascylti, flexit con-
2 vicium in puerum et 'tu autem' inquit 'etiam tu rides,
cepa cirrata? io Saturnalia, rogo, mensis december est?
quando vicesimam numerasti? ⟨*⟩ quid faciat crucis
offla, corvorum cibaria? curabo, iam tibi Iovis iratus
3 sit, et isti qui tibi non imperat. ita satur pane fiam, ut
ego istud conliberto meo dono; alioquin iam tibi depraesentiarum reddidissem. bene nos habemus, at isti
nugae [qui tibi non imperant]. plane qualis dominus,
4 talis et servus. vix me teneo, nec sum natura caldicere-

57,10 maiesto *Muncker*: mali isto   11 [in] *del. Bücheler*
58,2 cirrata *Reinesius*: pirrata   *lac. ind. Bücheler*   iam tibi
patav.: iam ubi   3 conliberto *Scheffer*: cum l-   at *Burman-*
nus: aut   nugae *Bücheler*: geuge   qui ... imp- *del. Fraenkel*
4 nec *Jahn*: et   caldicerebrius *Jahn*: caldus cicer eius

Jahren hinter sich; dem gefallen wir. Du bist ein Grünschnabel, schwätzt nicht Muh und nicht Mäh, ein Blumentopp, was sage ich, ein aufgeweichtes Stücke Leder, noch schlapper, nicht besser. Du bist also höher gestellt: iß doch zweimal zu Mittag, iß doch zweimal zu Abend! Mir ist mein Kredit lieber als ein Haufen Geld im Tresor. Kurz und gut, hat sich schon einer zweimal an mich gewandt? Vierzig Jahre durch bin ich Sklave gewesen; trotzdem, keiner hat gewußt, ob ich Sklave bin oder freier Mann. Na, als Junge mit langen Haaren bin ich in dieses Nest gekommen; das Rathaus war noch nicht gebaut. Trotzdem, ich habe mir Mühe gegeben, meinen Herrn zufriedenzustellen, einen honorigen und würdiglichen Mann, an dem ein Nagel mehr wert war als du es insgesamt bist. Na, es gab Leute im Haus, die mir ein Bein stellten, mal hier mal da; trotzdem, dem Genius des Mannes seis gedankt, ich kriegte Boden unter die Füße. Das ist richtige Herkulesarbeit; denn als freier Mann geboren werden ist so leicht wie ,Komm mal her'. Was stierst du jetzt wie der Ochse vor dem neuen Tor?"

Auf diese Ansprache hin ließ Giton, der am Fußende stand, sein schon lange unterdrücktes Lachen in wirklich ungezogener Weise losplatzen. Als Askyltos' Widersacher dies bemerkte, richtete er seine Schelte gegen den Knaben und sagte: ,,Aber du, du lachst auch, zotteliger Zwiebelkopf? Vivat Karneval, bitt schön, sind wir im Monat Dezember? Wann hast du die fünf Prozent hingezählt? ... Was kann der Satansbraten, das Rabenaas anderes leisten? Warte, gleich soll dich Väterchen Jupiter hernehmen, und den da, der dich nicht im Zaum hält! So wahr ich mich an Brot satt essen will: ich verzichte jetzt bloß meinem Mitfreigelassenen zuliebe; sonst hätte ich dir längst auf der Stelle heimgezahlt. Wir fühlen uns wohl, aber das da sind Taugenichtse! Wirklich, wie der Herr, so's Gescherr. Ich kann mich kaum bezähmen, dabei bin ich von Natur kein Hitz-

brius, ⟨sed⟩ cum coepi, matrem meam dupundii non *H*
facio. recte, videbo te in publicum, mus, immo terrae
5 tuber: nec sursum nec deorsum non cresco, nisi dominum tuum in rutae folium non conieci, nec tibi parsero,
licet mehercules Iovem Olympium clames. curabo,
longe tibi sit comula ista besalis et dominus dupun-
6 duarius. recte, venies sub dentem: aut ego non me
novi, aut non deridebis, licet barbam auream habeas.
7 Athana tibi irata sit, curabo, et ⟨ei⟩ qui te primus
'deuro de' fecit. non didici geometrias, critica et alogas menias, sed lapidarias litteras scio, partes centum
8 dico ad aes, ad pondus, ad nummum. ad summam, si
quid vis, ego et tu sponsiunculam: exi, defero lamnam.
iam scies patrem tuum mercedes perdidisse, quamvis
et rhetoricam scis. ecce

"qui de nobis longe venio, late venio? solve me."
9 dicam tibi, qui de nobis currit et de loco non movetur;
qui de nobis crescit et minor fit. curris, stupes, satagis,
10 tamquam mus in matella. ergo aut tace aut meliorem
noli molestare, qui te natum non putat; nisi si me iudi-
cas anulos buxeos curare, quos amicae tuae involasti.
11 Occuponem propitium. eamus in forum et pecunias
12 mutuemur: iam scies hoc ferrum fidem habere. vah,
bella res est volpis uda. ita lucrum faciam et ita bene

58,4 sed *add. Bücheler*   5 conieci *Scheffer*: -it   parsero
Reinesius: par ero   7 Athana *Heinsius*: sathana   ei *add. Reinesius*   alogas *Scheffer*: alogias   menias] naenias *Scheffer*
(alogias meras *Mentelius*)   8 scis *Reiske*: scio   qui de *Bücheler*: quidem

76

kopf, aber wenn ich loslege, ist mir die eigene Mutter keine drei Groschen wert. Schon recht, ich sehe dich noch unter freien Himmel, du Spitzmaus, was sage ich, du Trüffel: kein Stück hinauf und keins hinunter wachse ich nicht, wenn ich deinen Herrn nicht in die Tasche stecke, und du sollst mir nicht ausgekommen sein, magst du weiß Gott ‚Vater im Himmel!' schreien. Warte, kein bißchen soll dir das ellenlange Gelöckel da nützen und dein Dreigroschenherr. Schon recht, du kommst mir noch unter die Zähne: entweder ich kenne mich nicht, oder du kriegst nichts zu spotten, magst du auch mit Gold bepinselt sein: Pallas Athene soll dich hernehmen, warte, und den, der dich als Heda erfunden hat. *(Zu Askyltos:)* Ich habe solches Zeug wie Geometrie, Literaturkritik und den Nonsens à la ‚Singe den Zorn' nicht gelernt, aber Plakatbuchstaben kann ich, Prozente sage ich her beim Kleingeld, beim Pfund, beim Taler. Kurz und gut, wenn dirs recht ist, los wir beide, ein Wettchen: komm aus dem Bau, ich setze Zaster. Gleich wirst du merken, daß dein Vater die Honorare zum Fenster hinausgeworfen hat, wenn du auch Eloquenz kannst. Da:

> ‚Wer mag ich sein, der weit und breit
> von uns daherkommt? Löse mich!'

Ich will dirs sagen: einer, der von uns wegläuft und doch nicht vom Platze rückt; der von uns hochwächst und wieder kleiner wird. Du rennst, du stierst, du zappelst, wie die Maus im Nachttopf. Also sei entweder still oder laß gefälligst den in Ruhe, der dir über ist und dich für Luft hält; außerdem daß du dir vorstellst, ich mache mir etwas aus solchem Zeug wie dem gelben Ring, den du deiner Freundin geklaut hast. Sankt Profitikus steh mir bei! Komm, wir wollen aufs Forum gehen und Gelder borgen: gleich wirst du merken, daß mein Eisen Kredit hat. Potztausend, etwas Herziges ist so ein begossener Pudel. So wahr ich Geschäfte

moriar ut populus per exitum meum iuret, nisi te H
13 ubique toga perversa fuero persecutus. bella res et iste
qui te haec docet, mufrius, non magister. ⟨nos aliter⟩
didicimus, dicebat enim magister: "sunt vestra salva?
recta domum; cave, circumspicias; cave, maiorem
14 maledicas." at nunc mera mapalia: nemo dupondii
evadit. ego, quod me sic vides, propter artificium
meum diis gratias ago.'

59 coeperat Ascyltos respondere convicio, sed Trimalchio delectatus colliberti eloquentia 'agite' inquit
'scordalias de medio. suaviter sit potius, et tu, Hermeros, parce adulescentulo. sanguen illi fervet, tu melior $HL\varphi$
2 esto. | semper in hac re qui vincitur vincit. | et tu cum H
esses capo, cocococo, aeque cor non habebas. simus
ergo, quod melius est, a primitiis hilares et Homeristas
3 spectemus'. intravit factio statim hastisque scuta con-
crepuit. ipse Trimalchio in pulvino consedit, et cum
Homeristae Graecis versibus colloquerentur, ut in-
solenter solent, ille canora voce Latine legebat librum.
mox silentio facto 'scitis' inquit 'quam fabulam agant?
4 Diomedes et Ganymedes duo fratres fuerunt. horum
soror erat Helena. Agamemnon illam rapuit et Dianae
cervam subiecit. ita nunc Homeros dicit quemadmo-
5 dum inter se pugnent Troiani et Tarentini. vicit scilicet
et Iphigeniam, filiam suam, Achilli dedit uxorem. ob
eam rem Aiax insanit et statim argumentum explicabit.'
6 haec ut dixit Trimalchio, clamorem Homeristae sustulerunt, interque familiam discurrentem vitulus in lance
du⟨ce⟩naria elixus allatus est, et quidem galeatus.

58,12 ut *Heinsius*: aut   ubique toga *Bücheler*: t- u-   13 nos
al- *add. Heraeus*   14 at nunc mera *Heraeus*: aut numera
59,2 aeque *Heinsius*: atque   habebas *Mentelius*: habeas   primitiis *Bücheler*: -tis   4 Tarentini *Scheffer*: Par-   5 scilicet
⟨Agamemnon⟩ *praeeunte Scheffero Fuchs*   6 dunaria *H: corr.*
Burmannus

machen will und in Ehren sterben, daß die Leute bei meinem Heimgang schwören: wenn ich dir nicht überall im Henkerskittel auf den Fersen bleibe! Etwas Herziges auch der da, der dir diese Dinge beibringt, ein Laffe, kein Lehrer. Bei uns ging das Lernen anders, denn der Lehrer sagte: ,Sind eure Sachen in Ordnung? Direkt nach Hause; wehe, wenn du herumguckst; wehe, wenn du einen Erwachsenen frotzelst!' Aber jetzt – das reinste Affentheater: keiner, der abgeht, drei Groschen wert. Ich, wenn du mich so siehst, ich danke den Göttern für das, was ich gelernt habe."

Askyltos hatte auf die Schelte zu antworten begonnen, aber Trimalchio, dem die Suada seines Mitfreigelassenen Spaß gemacht hatte, sagte: "Geht zu, Schluß mit den Keifereien! Lieber soll es gemütlich sein, und du, Hermeros, verschone den jungen Freund! Der hat ein unruhig Blut, du solltest großzügig sein. Immer gewinnt in diesem Fall, wer nachgibt. Auch du warst einmal ein Gockelchen, Kikeri-kiki, und hattest ebenso wenig drin. Also wollen wir, das ist besser, von neuem vergnügt sein und uns die Homeristen ansehen." Gleich trat eine Truppe ein und schlug ihre Lanzen an die Schilde. Trimalchio selbst setzte sich auf sein Stützpolster, und als die Homeristen in griechischen Versen Worte wechselten, wie es ihre unartige Art ist, las er in singendem Tonfall den Text auf lateinisch her. Bald wurde es still, und er sagte: "Wißt ihr, was sie für ein Stück spielen? Diomedes und Ganymedes sind zwei Brüder gewesen. Deren Schwester war Helena. Die hat Agamemnon entführt und der Diana eine Hirschkuh untergeschoben. So erzählt jetzt Homeros, wie Trojaner und Tarentiner miteinander kämpfen. Natürlich hat der Mann gesiegt und seine Tochter Iphigenie dem Achill zur Frau gegeben. Deswegen ist Ajax wahnsinnig und wird gleich das Thema ausführen." Als Trimalchio dies vorgetragen hatte, erhoben die Homeristen ein Geschrei, dann wurde zwischen den auseinanderstieben-

7 secutus est Aiax strictoque gladio, tamquam insaniret, *H*
⟨vitulum⟩ concidit, ac modo versa modo supina gesticulatus mucrone frust[r]a collegit mirantibusque
[vitulum] partitus est.

60 nec diu mirari licuit tam elegantes strophas; nam
repente lacunaria sonare coeperunt totumque tricli-
2 nium intremuit. consternatus ego exsurrexi et timui,
ne per tectum petauristarius aliquis descenderet. nec
minus reliqui convivae mirantes erexere vultus, ex-
3 pectantes quid novi de caelo nuntiaretur. ecce autem
diductis lacunaribus subito circulus ingens [de cupa
videlicet grandi excussus] demittitur, cuius per totum
orbem coronae aureae cum alabastris unguenti pende-
4 bant. dum haec apophoreta iubemur sumere, respiciens
ad mensam   ⟨*⟩
iam illic repositorium cum placentis aliquot erat positum, quod medium Priapus a pistore factus tenebat,
gremioque satis amplo omnis generis poma et uvas
5 sustinebat more vulgato. avidius ad pompam manus
porreximus, et repente nova ludorum commissio hila-
6 ritatem [hic] refecit. omnes enim placentae omniaque
poma etiam minima vexatione contacta coeperunt
effundere crocum, et usque ad os molestus umor
7 accidere. rati ergo sacrum esse fer[i]culum tam reli-
gioso apparatu perfusum, consurreximus altius et
'Augusto, patri patriae, feliciter' diximus. quibusdam
tamen etiam post hanc venerationem poma rapientibus
et ipsi mappas implevimus, ego praecipue, qui nullo
satis amplo munere putabam me onerare Gitonis sinum.

   59,7 uitulum *ante* concidit *posui; ante* partitus *habet H*   supina *Scheffer:* spuma   60,3 diductis *Scheffer:* deductus   de
… exc- *del. Fraenkel*   4 lac. ind. *Bücheler*   5 commissio
Delz: rem-   hic *del. Friedländer*   effecit *Delz*   6 os *Bü-*
cheler: nos   os nobis *Delz*   7 periculum *H: corr. Reinesius*
ipsi *Bücheler:* ipsas   sinum *patav.:* unum

den Dienern ein gesottenes Kalb auf einer Zweizentner-schüssel hereingetragen, und zwar mit Helm. Es folgte Ajax, der mit gezücktem Schwert, als wäre er wahnsinnig, das Kalb zerhackte, bald die Terz bald die Quart schlug, mit der Spitze die Stücke aufnahm und sie an die staunenden Gäste verteilte.

Dabei war nicht lange Gelegenheit, diese glänzenden Effekte zu bewundern; denn unversehens begann die Decke zu knacken, und der ganze Speisesaal erbebte. Ich sprang bestürzt auf die Beine und fürchtete, es werde irgend ein Akrobat durch das Dach heruntersteigen. Nicht anders wunderten sich die übrigen Gäste, reckten also die Hälse und waren gespannt, was für eine Neuigkeit der Himmel zu melden habe. Da teilt sich doch die Decke, und plötzlich sinkt ein gewaltiger Reifen herab, an dessen ganzer Rundung entlang goldene Kränze mit Parfümflacons hingen! Während man uns hieß, diese als Souvenirs an uns zu nehmen, schaute ich zum Tisch zurück. ... Dort hatte man schon ein Tablett mit einer Reihe von Kuchen hingestellt, dessen Mitte ein Priapus von Konditorhand einnahm, und dieser trug in seinem genügend splendiden Schurz wie üblich allerlei Baumfrüchte und Trauben. In einigem Verlangen streckten wir die Hände nach dieser Pracht aus, und mit einem Schlage stellte eine neue Inszenierung die Heiterkeit wieder her. Denn es kam so, daß alle Kuchen und alle Früchte schon beim leisesten Druck der Hand Safran verbreiteten und das aufdringliche Naß uns bis zum Mund reichte. Also nahmen wir an, es müsse eine Weihgabe sein, was mit so frommem Beiwerk versetzt aufgetragen werde, erhoben uns von den Plätzen und sprachen: „Der Kaiser, der Vater des Vater-landes, lebe hoch!" Als sich aber einige selbst nach dieser Huldigung auf die Früchte stürzten, füllten wir ebenfalls unsere Servietten, ich vor allem, denn mir schien kein Geschenk splendid genug, um Gitons Tasche vollzupacken.

8   inter haec tres pueri candidas succincti tunicas intra- *H*
     verunt, quorum duo Lares bullatos super mensam po-
     suerunt, unus pateram vini circumferens 'dii propitii'
     clamabat   ⟨∗⟩
     aiebat autem unum Cerdonem, alterum Felicionem,
9 tertium Lucrionem vocari. nos etiam veram imaginem
     ipsius Trimalchionis, cum iam omnes basiarent, eru-
     buimus praeterire.

61   postquam ergo omnes bonam mentem bonamque
     valetudinem sibi optarunt, Trimalchio ad Nicerotem
2 respexit et 'solebas' inquit 'suavius esse in convictu;
     nescio quid nunc taces nec muttis. oro te, sic felicem
3 me videas, narra illud quod tibi usu venit'. Niceros
     delectatus affabilitate amici 'omne me' inquit 'lucrum
     transeat, nisi iam dudum gaudimonio dissilio, quod
4 te talem video. itaque hilaria mera sint, etsi timeo istos
     scholasticos, ne me [de]rideant. viderint: narrabo
     tamen; quid enim mihi aufert qui ridet? satius est
5 rideri quam derideri'. 'haec ubi dicta dedit', talem
     fabulam exorsus est:

6   'cum adhuc servirem, habitabamus in vico angusto;
     nunc Gavillae domus est. ibi, quomodo dii volunt,
     amare coepi uxorem Terentii coponis: noveratis Me-
7 lissam Tarentinam, pulcherrimum bacciballum. sed ego
     non mehercules corporaliter ⟨illam⟩ [autem] aut prop-
     ter res vene[ra]rias curavi, sed magis quod benemoria
8 fuit. si quid ab illa petii, numquam mihi negatum.
     ⟨∗⟩ fecit. assem semissem habui: in illius sinum
9 demandavi, nec umquam fefellitus sum. huius

     60,8 *lac. ind. Bücheler*   Lucrionem *Reinesius*: lucronem
9 ueram] auream *Jahn*   61,2 nunc *Scheffer*: nec   muttis *Schef-*
fer: mutes   4 rideant *Mentelius*: der-   uiderint *patav.*: -rit
7 illam *add. Bücheler*   autem *om. patav.*   benemoria *Orelli*:
bene moriar   8 *lac. ind. Delz, qui locum dist. adhibito asyndeti*
assem semissem *exemplo Varroniano r. r. 3, 7, 11*

Inzwischen traten drei Burschen in gerafften weißen Tuniken ein; zwei davon stellten Laren mit Kapseln um den Hals auf die Tafel, einer reichte eine Schale Wein herum und litaneite: „Der Himmel sei uns gnädig!" … ⟨Trimalchio⟩ aber sagte, einer heiße Goldmacher, der nächste Glücksmann, der dritte Zinsmeister. Wir konnten auch ein lebensechtes Porträt des Hausherrn Trimalchio, als alle vor uns es küßten, anstandshalber nicht übergehen.

Nachdem nun alle sich klaren Kopf und feste Gesundheit gewünscht hatten, schaute sich Trimalchio nach Nikeros um und sagte: „Sonst warst du in Gesellschaft mehr obenauf; ich weiß nicht, wie es kommt, jetzt bist du still und machst keinen Muckser. Bitt schön, tu mir den Gefallen und erzähl die Geschichte, die du erlebt hast!" Nikeros freute sich über die Leutseligkeit seines Freundes und sagte: „Jedes Geschäft soll mir schiefgehen, wenn ich nicht schon längst vor Spaßvergnügen platze, daß ich dich so in Form sehe. Also soll Heiterkeit Trumpf sein, obwohl ich die Blitzgescheiten da fürchte, daß sie über mich lachen. Das ist ihre Sache; ich will trotzdem erzählen, denn was nimmt mir jemand, der lacht? Es ist immer noch besser, die anderen lachen über einen als sie lachen einen aus." ‚Sprachs' und hob so zu erzählen an:

„Als ich noch Sklave war, wohnten wir in der Engen Gasse; jetzt gehört das Haus der Gavilla. Dort, wie es einem so zustoßen kann, habe ich mich in die Frau des Gastwirts Terentius verliebt; ihr kanntet die Melissa aus Tarent, ein putziges Schnuckelchen. Aber ich habe sie weiß Gott nicht körperlich oder aus Triebgründen poussiert, sondern mehr weil sie eine Seele von Mensch gewesen ist. Wenn ich etwas von ihr gewollt habe – mir abgeschlagen? Nie! … machte sie. Da hatte ich einen Zehner, einen Fünfer: in ihrer Tasche habe ich ihn deponiert und bin nie bemogelt worden. Ihrem Kumpan hat auf dem Gut sein letztes Stündlein

contubernalis ad villam supremum diem obiit. itaque
per scutum per ocream egi aginavi, quemadmodum
ad illam pervenirem: ⟨scitis⟩ autem, in angustiis amici
62 apparent. forte dominus Capuae exierat ad scruta scita
2 expedienda. nactus ego occasionem persuadeo hospi-
tem nostrum ut mecum ad quintum miliarium veniat.
3 erat autem miles, fortis tamquam Orcus. apoculamus
nos circa gallicinia, luna lucebat tamquam meridie.
4 venimus inter monimenta: homo meus coepit ad stelas
facere, sed ego ⟨pergo⟩ cantabundus et stelas numero.
5 deinde ut respexi ad comitem, ille exuit se et omnia
vestimenta secundum viam posuit. mihi [in] anima in
6 naso esse, stabam tamquam mortuus. at ille circum-
minxit vestimenta sua, et subito lupus factus est. nolite
me iocari putare; ut mentiar, nullius patrimonium
7 tanti facio. sed, quod coeperam dicere, postquam lupus
8 factus est, ululare coepit et in silvas fugit. ego primitus
nesciebam ubi essem, deinde accessi, ut vestimenta
eius tollerem: illa autem lapidea facta sunt. qui mori
9 timore nisi ego? gladium tamen strinxi et †matauita-
tau† umbras cecidi, donec ad villam amicae meae per-
10 venirem. in laruam intravi, paene animam ebullivi,
sudor mihi per bifurcum volabat, oculi mortui, vix
11 umquam refectus sum. Melissa mea mirari coepit,
quod tam sero ambularem, et "si ante" inquit "venis-
ses, saltem nobis adiutasses; lupus enim villam intravit
et omnia pecora ⟨∗⟩: tamquam lanius sanguinem illis

61,9 scitis *add. Bücheler* (in ang- autem *transp. Hadrianides*)
62,4 ad stelas *Reiske*: ad stellas   pergo *add. Heraeus*   cunc-
tabundus *Delz*   stelas *Bücheler*: stellas   **5** uiam *Scheffer*: iam
[in] anima *Muncker*: in animo   **9** inani impetu *temptavit Ehlers*:
μὰ τὰν Ἑκάταν *Heraeus*   **10** in laruam] cf. *Hofm.-Szantyr* 275γ
uolabat] undabat *Nisbet*   **11** coepit *del. Fraenkel*   lac. ind.
Bücheler: lacerauit *add. Heraeus*: anacoluthon statuit Hofmann,
Lat. Umgangssprache 105

geschlagen. So habe ich mich auf Biegen oder Brechen abgetan, abgezappelt, um irgendwie zu ihr hinauszukommen; ihr wißt doch, in der Bedrängnis zeigt sich, was ein Freund ist. Gerade war mein Herr auf Capua außer Hause, um seinen Krimskrams abzusetzen. Ich benütze die Gelegenheit und kriege einen Gast von uns herum, bis zum fünften Meilenstein mitzukommen. Nun, das war ein Soldat, schneidig wie der Satan. Wir schieben um die Zeit ab, wo die Hähne krähen, der Mond schien, als wenn Mittag wäre. Wir sind durch einen Friedhof gekommen: mein Mann hat sich zu den Grabsteinen gemacht, ich aber gehe weiter, singe mir eins und zähle die Grabsteine. Wie ich mich dann nach meinem Begleiter umsah, hat der sich ausgezogen und alle Kleider an den Straßenrand gelegt. Mir alles Blut zum Herzen gelaufen, ich stand da wie ein Toter! Aber der andere hat einen Kreis um seine Kleider gepißt, und plötzlich ist er zum Wolf geworden. Denkt gefälligst nicht, ich mache Spaß; lügen würde ich nicht um alles Geld in der Welt! Aber was ich sagen wollte: als er zum Wolf geworden war, hat er zu heulen angefangen und ist in die Wälder davongelaufen. Ich wußte im Moment gar nicht, wo ich war, dann bin ich hingegangen, um seine Kleider aufzuheben: aber die sind zu Stein geworden. Ich in Todesangst wie keiner! Trotzdem habe ich das Schwert gezogen und wild ins Leere hinein auf Gespenster losgeschlagen, bis ich zum Gut meiner Freundin hinauskam. Wie ein Geist bin ich eingetreten, die Lunge habe ich mir beinahe ausgekeucht, der Schweiß schoß mir das Kreuz entlang, die Augen erloschen, kaum bin ich überhaupt wieder zu mir gekommen. Meine Melissa ist ins Staunen geraten, warum daß ich so spät unterwegs war, und hat gesagt: ‚Wenn du eher gekommen wärst, hättest du wenigstens zu uns helfen können; ein Wolf hat nämlich das Gut betreten und alle Schafe . . .: wie sein Metzger hat er ihnen das Blut abge-

misit. nec tamen derisit, etiam si fugit; servus enim *H*
12 noster lancea collum eius traiecit". haec ut audivi,
operire oculos amplius non potui, sed luce clara †hac
nostri† domum fugi tamquam copo compilatus, et
postquam veni in illum locum in quo lapidea vesti-
13 menta erant facta, nihil inveni nisi sanguinem. ut vero
domum veni, iacebat miles meus in lecto tamquam
bovis, et collum illius medicus curabat. intellexi illum
versipellem esse, nec postea cum illo panem gustare
14 potui, non si me occidisses. viderint alii quid de hoc
exopinissent; ego si mentior, genios vestros iratos
habeam.'

63 attonitis admiratione universis 'salvo' inquit 'tuo
sermone' Trimalchio 'si qua fides est, ut mihi pili in-
horruerunt, quia scio Niceronem nihil nugarum nar-
2 rare: immo certus est et minime linguosus. nam et ipse
3 vobis rem horribilem narrabo: asinus in tegulis. cum
adhuc capillatus essem, nam a puero vitam Chiam
gessi, ipsimi nostri delicatus decessit, mehercules mar-
4 garitum, catamitus et omnium numerum. cum ergo
illum mater misella plangeret et nostrum plures in
tristimonio essemus, subito strigae coeperunt: putares
5 canem leporem persequi. habebamus tunc hominem
Cappadocem, longum, valde audaculum et qui valebat:
6 poterat bovem iratum tollere. hic audacter stricto
gladio extra ostium procucurrit, involuta sinistra manu
curiose, et mulierem tamquam hoc loco – salvum sit

62,12 hac n̄r̄i] Gai nostri *Bücheler*: *an* ad nostri (*sc. domini*)?
(ad domum *vulgariter pro* domum; *cf. Thes. 5¹, 1962, 82 sqq.*)
14 alii quid de hoc *Bücheler*: qui hoc de alibi   **63,2** nam] iam
Jacobs   **3** ipsimi nostri *Scheffer*: ipim mostri   catamitus *Ja-*
cobs: caccitus   [et] omnium *Jacobs*   **4** nostrum *Heinsius*: nos
tum   **5** poterat *om. patav.*   bouem *Reiske*: iouem

lassen. Und trotzdem hat er nicht frohlockt, obschon er davongelaufen ist; denn unser Knecht hat ihm einen Spieß durch den Hals geschossen.' Wie ich das hörte, habe ich kein Auge mehr zutun können, sondern als es heller Morgen war ..., bin ich nach Hause davongelaufen wie der geprellte Gastwirt, und nachdem ich an die bewußte Stelle kam, wo die Kleider zu Stein geworden waren, habe ich nichts gefunden als Blut. Wie ich aber nach Hause kam, lag mein Soldat im Bett wie 'n Bock so steif, und ein Arzt behandelte seinen Hals. Mir ist klargeworden, daß der Kerl ein Werwolf war, und später habe ich in seiner Gesellschaft keinen Bissen Brot mehr essen können, nicht wenn man mich totgeschlagen hätte. Es ist Sache der anderen, was für einen Vers sie sich daraus machen; wenn ich lüge, will ich eure Schutzgeister gegen mich haben!"

Während alle starr vor Staunen waren, sagte Trimalchio: „Deine Geschichte in Ehren: falls ihr mir überhaupt etwas glauben wollt – wenn ich keine Gänsehaut gekriegt habe! Denn ich weiß, daß der Nikeros keinen Unsinn erzählt: nein, er ist ehrlich und alles andere als ein Sprüchmacher. Da will ich euch auch selber etwas Gruseliges erzählen: Der Esel in den Dachpfannen. Als ich noch langes Haar trug, denn ich habe von Kindheit an ein feines Leben geführt, ist der Süße unseres Prinzipals gestorben, wahrhaftig ein Juwel, ein Adonis und Tausendsassa. Als ihm also sein armes Mütterchen die Totenklage hielt und von uns mehr als einer in Trübsal war, haben plötzlich die Zauchteln angefangen: man hätte meinen können, daß ein Hund einen Hasen hetzt. Es war zu der Zeit ein Kerl aus Kappadokien bei uns, baumlang, ein ganz dreister Geselle und gut beieinander: er konnte einen wütenden Bullen stemmen. Der ist dreist mit gezücktem Schwert vor die Tür hinausgelaufen, die linke Hand sorgfältig umwickelt, und hat ein Weib ungefähr hier – unberufen für die berührte Stelle – mitten durch-

quod tango – mediam traiecit. audimus gemitum, et *H*
7 – plane non mentiar – ipsas non vidimus. baro autem
noster introversus se proiecit in lectum, et corpus
totum lividum habebat quasi flagellis caesus, quia
8 scilicet illum tetigerat mala manus. nos cluso ostio
redimus iterum ad officium, sed dum mater amplexaret
corpus filii sui, tangit et videt manuciolum de stramen-
tis factum. non cor habebat, non intestina, non quicquam: scilicet iam puerum strigae involaverant et
9 supposuerant stramenticium vavatonem. rogo vos,
oportet credatis, sunt mulieres plussciae, sunt Noctur-
10 nae, et quod sursum est, deorsum faciunt. ceterum
baro ille longus post hoc factum numquam coloris sui
fuit, immo post paucos dies phreneticus periit'.

64   miramur nos et pariter credimus, osculatique mensam rogamus Nocturnas ut suis se teneant, dum redimus a cena ⟨∗⟩

2   et sane iam lucernae mihi plures videbantur ardere
totumque triclinium esse mutatum, cum Trimalchio
'tibi dico' inquit 'Plocame, nihil narras? nihil nos
delectaris? et solebas suavius esse, canturire belle
3 deverbia, adicere melica[m]. heu heu, abistis dulces
caricae'. 'iam' inquit ille 'quadrigae meae decucurre-
runt, ex quo podagricus factus sum. alioquin cum
essem adulescentulus, cantando paene tisicus factus
4 sum. quid saltare? quid deverbia? quid tonstrinum?
5 quando parem habui nisi unum Apelletem?' opposi-

63,6 et] sed *Jacobs*   **64,1** *lac. ind. Bücheler*   **2** suauius *Bü-*
cheler: suauis   melica *Scheffer*: -cam   **3** dulces caricae *Schef-*
fer: -cis -ca   **5** appositaque *Heinsius, frustra*

gestochen. Wir hören ein Stöhnen, dabei – ich will bestimmt nicht lügen – haben wir von ihnen selber nichts gesehen. Unser Rüpel aber hat ins Haus kehrtgemacht und sich aufs Bett geworfen, und der Körper war ihm von oben bis unten blau, wie mit Peitschen geschlagen, weil ihn ja eine Zauberhand angefaßt hatte! Wir machen die Tür zu und gehen wieder von neuem an die Zeremonie, aber wie die Mutter der Leiche ihres Sohnes um den Hals will, ist, was sie anrührt und vor sich sieht, ein Strohwisch. Nicht Herz hatte er, nicht Eingeweide, nicht irgendwas: die Zauchteln hatten den Buben ja schon geschnappt und eine Attrappe aus Stroh untergeschoben! Bitt schön, ihr müßt mir glauben, es gibt Weiber mit allerlei Künsten, es gibt Nachtmahre, und was oben ist, kehren sie nach unten. Übrigens ist unser langer Rüpel nach diesem Vorfall nie wieder richtig bei Farbe gewesen, nein: nach ein paar Tagen ist er als Verrückter draufgegangen.«

Wir sind ebenso erstaunt wie überzeugt, küssen die Tafel und bitten die Nachtmahre, sich in ihrem Bezirk zu halten, wenn wir von Tische heimgehen würden. . . .

Und wahrhaftig meinte ich schon die Lampen doppelt brennen und den ganzen Speisesaal verwandelt zu sehen, als Trimalchio sagte: »Hör einmal, Plokamus, erzählst du gar nichts? Weißt du gar nichts zu unserem Amüsement? Sonst warst du doch mehr obenauf, hast so nett deine Tiraden angestimmt, Couplets eingelegt. Ach Gott, ach Gott, mit euch hübschen Delikatessen ists vorbei!« »Jetzt«, sagte der andere, »haben meine Pferde ausgaloppiert, seit ich das Podagra bekommen habe. Sonst, als ich noch ein junger Bursch war, habe ich mir beinahe die Tuberklos an den Hals gesungen. Na, und Tanzen! Na, und Deklamieren! Na, und ›Der Barbierladen‹! Wann habe ich einmal meinesgleichen gehabt außer allein Apellesen?« Dann legte er die Hand vor den Mund und pfiff irgend

taque ad os manu nescio quid taetrum exsibilavit, quod *H*
postea Graecum esse affirmabat.

   nec non Trimalchio ipse cum tubicines esset imitatus, ad delicias suas respexit, quem Croesum ap-
6 pellabat. puer autem lippus, sordidissimis dentibus,
catellam nigram atque indecenter pinguem prasina
involvebat fascia panemque semesum ponebat supra
7 torum [atque] ac nausea recusantem saginabat. quo
admonitus officio Trimalchio Scylacem iussit ad-
duci 'praesidium domus familiaeque'. nec mora,
ingentis formae adductus est canis catena vinctus,
admonitusque ostiarii calce ut cubaret, ante mensam
8 se posuit. tum Trimalchio iactans candidum panem
9 'nemo' inquit 'in domo mea me plus amat'. indignatus
puer, quod Scylacem tam effuse laudaret, catellam in
terram deposuit hortatusque ⟨est⟩ ut ad rixam pro-
peraret. Scylax, canino scilicet usus ingenio, taeterrimo
latratu triclinium implevit Margaritamque Croesi
10 paene laceravit. nec intra rixam tumultus constitit,
sed candelabrum etiam supra mensam eversum et vasa
omnia crystallina comminuit et oleo ferventi aliquot
11 convivas respersit. Trimalchio ne videretur iactura
motus, basiavit puerum ac iussit supra dorsum ascen-
12 dere suum. non moratus ille usus ⟨est⟩ equo manuque
plana scapulas eius subinde verberavit, interque risum
13 proclamavit: 'bucca, bucca, quot sunt hic?' repressus
ergo aliquamdiu Trimalchio camellam grandem iussit
misceri ⟨et⟩ potiones dividi omnibus servis, qui ad

   64,6 semesum *Burmannus*: semissem   [atque] ac *Bücheler*: atque hac   7 officio] -cii *Bücheler*   9 est *add. Bücheler*
12 est *add. Bücheler*   plana *Scheffer*: plena   13 et *add. An-*
ton

eine Scheußlichkeit, die er dann für etwas Griechisches ausgab.

Auch Trimalchio konnte nicht umhin, es seinerseits Trompetern nachzutun, und sah sich dann nach seinem Schatz um, den er Krösus nannte. Der Knabe nun, mit Triefaugen und ganz verkommenen Zähnen, war dabei, eine schwarze und abscheulich fette Schoßhündin in eine grüne Schärpe einzuwickeln, ein halbverzehrtes Brot auf das Polster zu legen und das Tier zu nudeln, das vor Überfressenheit nichts mochte. Dieser Liebesdienst brachte Trimalchio auf einen Gedanken: er gab Weisung, Skylax hereinzuführen, ,den Beschützer von Herr und Haus'. Unverzüglich wurde ein Hund von ungeheuren Ausmaßen an einer Kette hereingeführt, und als ihm der Portier mit einem Tritt ,Platz' befahl, legte er sich vor der Tafel hin. Da warf ihm Trimalchio Weißbrot zu und sagte: „Niemand in meinem Haus liebt mich mehr als er." Der Knabe ärgerte sich, daß er Skylax so über die Maßen lobte, setzte sein Hündchen zu Boden und hetzte es, zu einer Beißerei loszusausen. Skylax, wie es nun einmal Hundeart ist, füllte den Speisesaal mit dem gräßlichsten Gebell und riß das ,Juwel' des Krösus fast in Stücke. Und das Durcheinander beschränkte sich nicht auf die Beißerei, sondern dazu fiel ein Leuchter auf dem Tisch um, brach alles Kristallgeschirr kurz und klein und bespritzte eine Reihe von Gästen mit heißem Öl. Trimalchio wollte sich keine Verstimmung über den Schaden anmerken lassen, küßte also den Knaben und hieß ihn auf seinen Rücken klettern. Ohne Umstände machte der den Reiter, klatschte ihm in einemfort mit der flachen Hand auf die Schulterblätter und kreischte unter Lachen: „Rumpeldipumpel, wieviel Finger stehn?" Also ließ Trimalchio eine Weile mit sich Schabernack treiben; dann gab er Weisung, einen mächtigen Pott zu mischen und volle Becher an alle Sklaven zu verteilen, die an den Fußenden saßen, wobei er

pedes sedebant, adiecta exceptione: 'si quis' inquit *H*
'noluerit accipere, caput illi perfunde. interdiu severa,
nunc hilaria'.

65 hanc humanitatem insecutae sunt matteae, quarum
etiam recordatio me, si qua est dicenti fides, offendit.
2 singulae enim gallinae altiles pro turdis circumlatae
sunt et ova anserina pilleata, quae ut comessemus,
ambitiosissime ⟨a⟩ nobis Trimalchio petiit dicens exos-
3 satas esse gallinas. inter haec triclinii valvas lictor percussit, amictusque veste alba cum ingenti frequentia
4 comissator intravit. ego maiestate conterritus prae-
torem putabam venisse. itaque temptavi assurgere et
5 nudos pedes in terram deferre. risit hanc trepidationem
Agamemnon et 'contine te' inquit 'homo stultissime.
Habinnas sevir est idemque lapidarius [qui videretur
monumenta optime facere].'
6   recreatus hoc sermone reposui cubitum, Habinnam-
que intrantem cum admiratione ingenti spectabam.
7 ille autem iam ebrius uxoris suae umeris imposuerat
manus, oneratusque aliquot coronis et unguento per
frontem in oculos fluente praetorio loco se posuit
8 continuoque vinum et caldam poposcit. delectatus hac
Trimalchio hilaritate et ipse capaciorem poposcit
scyphum quaesivitque quomodo acceptus esset.
9 'omnia' inquit 'habuimus praeter te; oculi enim mei
10 hic erant. et mehercules bene fuit. Scissa lautum no-
vendiale servo suo misello faciebat, quem mortuum
manu miserat. et puto, cum vicensimariis magnam

65,2 a *add. Scheffer*   5 qui ... facere *delevi*   uideretur]
uidetur *Scheffer*   10 lautum nouendiale *Bücheler*: laucum nouen-
dialem

folgende Klausel hinzusetzte: „Wenn einer nicht nehmen will, gieß es ihm über den Kopf! Tagsüber Ernst, jetzt Spaß."

Auf diese leutselige Geste folgten ‚Appetithappen', die mir noch in der Erinnerung, wenn mein Bericht irgend Glauben findet, einen Stoß geben. Denn es wurden Masthühner, für jeden eins, anstelle von Krammetsvögeln herumgereicht und garnierte Gänseeier; diese Portionen aufzuessen, drängte uns Trimalchio auf das angelegentlichste mit der Bemerkung, die Hühner seien ausgebeint. Unterdessen polterte ein Magistratstrabant an die Tür des Speisesaals, und in weißer Gewandung hielt mit ungeheurem Gefolge ein Nachtschwärmer Einzug. Ich war von dem Gepränge ganz verdattert und glaubte, der Prätor sei gekommen. So schickte ich mich an, aufzustehen und die bloßen Füße zu Boden zu setzen. Da lachte Agamemnon über meine Aufregung und sagte: „Mach keine Umstände, Dummkopf! Habinnas ist es, ein Mann vom Sechserrat und dabei Steinmetz."

Erleichtert von dieser Bemerkung lehnte ich mich wieder zurück und sah Habinnas bei seinem Einzug mit ungeheurem Staunen zu. Nun, der Mann war bereits betrunken und hatte seiner Frau die Hände über die Schultern gelegt, während etliche Kränze auf ihm lasteten und ihm Pomade über die Stirn in die Augen rann: so nahm er den Prätorenplatz ein und verlangte alsbald Wein mit warmem Wasser. Trimalchio hatte an diesem angeheiterten Zustand seinen Spaß, verlangte auch selbst einen umfassenderen Humpen und erkundigte sich, wie es ihm bei der Einladung ergangen sei. „Nichts hat uns gefehlt", antwortete er, „außer dir; denn sogar mit den Augen war ich hier. Dabei ist es wahrhaftig nett gewesen. Scissa richtete einen feudalen Leichenschmaus für einen armen Kerl aus, seinen Sklaven, den er als Verstorbenen freigelassen hatte. Dabei glaube ich, bei

mantissam habet; quinquaginta enim millibus aesti-
11 mant mortuum. sed tamen suaviter fuit, etiam si coacti
sumus dimidias potiones supra ossucula eius effun-
66 dere.' 'tamen' inquit Trimalchio 'quid habuistis in
cena?' 'dicam' inquit 'si potuero; nam tam bonae memoriae sum, ut frequenter nomen meum obliviscar.
2 habuimus tamen in primo porcum botulo coronatum
et circa sangunculum et gizeria optime facta et certe
betam et panem autopyrum de suo sibi, quem ego malo
quam candidum; et vires facit, et cum mea re causa
3 facio, non ploro. sequens ferculum fuit sc[i]rib[i]lita
frigida et supra mel caldum infusum excellente Hispa-
num. itaque de sc[i]rib[i]lita quidem non minimum
4 edi, de melle me usque tetigi. circa cicer et lupinum,
calvae arbitratu et mala singula. ego tamen duo sustuli
et ecce in mappa alligata habeo; nam si aliquid muneris
5 meo vernulae non tulero, habebo convicium. bene me
admonet domina mea. in prospectu habuimus ursinae
frust[r]um, de quo cum imprudens Scintilla gustasset,
6 paene intestina sua vomuit; ego contra plus libram
comedi, nam ipsum aprum sapiebat. et si, inquam, ur-
sus homuncionem comest, quanto magis homuncio
7 debet ursum comesse? in summo habuimus caseum
mollem ex sapa et cocleas singulas et cordae frusta et
hepatia in catillis et ova pilleata et rapam et senape et
catillum concacatum, pax Palamedes. etiam in alveo

66,2 botulo *Jac. Gronovius*: poculo   sangunculum *Heraeus*:
saucunculum   **7** ex sapa *Bücheler*: et s-   concacatum *Burmannus*: concagatum

den Fünfprozentlern gibts für ihn ein dickes Ende; denn sie schätzen den Verstorbenen auf fünfzig Mille. Aber trotzdem ist es gemütlich gewesen, obschon man uns genötigt hat, die Hälfte jedes Trunks über sein Knochenhäuflein hinzuschütten." „Trotzdem", fragte Trimalchio, „was habt ihr zu essen bekommen?" „Ich wills sagen", antwortete er, „wenn ich kann; denn ich bin ein solcher Gedächtniskünstler, daß ich häufig den eigenen Namen vergesse. Trotzdem, wir haben zur Einleitung Sau mit Plunzenkranz bekommen und rundherum Blutwurstwürfel und Hühnerfrikassee, ausgezeichnet zubereitet, und natürlich rote Beete und Weizenschrotbrot aus höchsteigener Küche, das ich lieber mag als helles; erstens gibt es Kraft, zweitens habe ich bei meinem Geschäft kein Weh und Ach. Der nächste Gang war kalte Käsepastete und 'n prima Spanier als Aufguß über heißem Honig. Da habe ich von der Käsepastete selber kein bißchen verspeist, mit dem Honig mich gehörig eingedeckt. Rundherum Erbschen und Bohnen, Haselnüsse nach Belieben und für jeden ein Apfel. Ich habe trotzdem zwei gegriffen und da in meine Serviette gebunden mitgenommen; denn wenn ich meinem Pikkolo überhaupt kein Geschenk mitbringe, bekomme ich Schelte. Gut, daß meine Gattin mich erinnert: en passant haben wir eine Portion Bärenfleisch bekommen, und als Scintilla davon unbedacht kostete, hat sie sich beinahe ihr Gedärm ausgebrochen; ich dagegen habe über ein Pfund verschlungen, denn es schmeckte genau wie Wildschwein. Ja, ich finde, wenn ein Bär ein Menschenkind verschlingt, wieviel mehr muß ein Menschenkind einen Bären verschlingen! Zum Schluß haben wir Käseauflauf mit Weinsoße bekommen und jeder eine Schnecke und Kuttelfleck und Leberhappen in Pastetenformen und garnierte Eier und Rübens und Senft und Kuddelmuddelpastete nach dem Rezept ‚Punktum, Palamedes!' Außerdem wurde in einem Kübel eingemachter

circumlata sunt oxycomina, unde quidam etiam improbe ternos pugnos sustulerunt. nam pernae missio-
67 nem dedimus. sed narra mihi, Gai, rogo, Fortunata
2 quare non recumbit?' 'quomodo nosti' inquit 'illam'
Trimalchio 'nisi argentum composuerit, nisi reliquias
pueris diviserit, aquam in os suum non coniciet.'
3 'atqui' respondit Habinnas 'nisi illa discumbit, ego me
apoculo' et coeperat surgere, nisi signo dato Fortunata
4 quater amplius a tota familia esset vocata. venit ergo
galbino succincta cingillo, ita ut infra cerasina appa-
reret tunica et periscelides tortae phaecasiaeque in-
5 auratae. tunc sudario manus tergens, quod in collo
habebat, applicat se illi toro, in quo Scintilla Habinnae
discumbebat uxor, osculataque plaudentem 'est te'
inquit 'videre?'
6 eo deinde perventum est, ut Fortunata armillas suas
crassissimis detraheret lacertis Scintillaeque miranti
ostenderet. ultimo etiam periscelides resolvit et reticu-
7 lum aureum, quem ex obrussa esse dicebat. notavit
haec Trimalchio iussitque afferri omnia et 'videtis'
inquit 'mulieris compedes: sic nos barcalae despolia-
mur. sex pondo et selibram debet habere. et ipse nihilo
minus habeo decem pondo armillam ex millesimis
8 Mercurii factam'. ultimo etiam, ne mentiri videretur,
stateram iussit afferri et circumlatum approbari pon-
9 dus. nec melior Scintilla, quae de cervice sua capsellam
detraxit aureolam, quam Felicionem appellabat. inde
duo crotalia protulit et Fortunatae in vicem conside-

66,7 improbe ternos pugnos *praeeunte Jac. Gronovio Bücheler*:
improbiter nos pugno   67,7 mulieris *Mentelius*: -res   8 circumlatum *Heinsius*: circulatum

Kümmel herumgereicht, wovon ein paar Leute wirklich unverschämt drei Fäuste voll gegriffen haben. Den Schinken haben wir ja laufen lassen. – Aber erzähl mir, Gajus, sei so gut, warum ist Fortunata nicht bei Tisch?" „Du kennst sie ja", sagte Trimalchio; „bevor sie das Silbergeschirr nicht versorgt hat, bevor sie die Reste nicht an die Burschen verteilt hat, schüttet sie keinen Tropfen Wasser in ihren Mund." „Gleichwohl", sagte Habinnas, „wenn sie nicht Platz nimmt, schiebe ich ab", und er hatte schon Miene gemacht, aufzustehen, als aber auf Kommando Fortunata über viermal von der ganzen Dienerschaft gerufen wurde. Sie erschien also, eine gelbgrüne Schärpe hoch um die Taille, so daß darunter ein kirschfarbenes Unterkleid zum Vorschein kam und gewundene Beinreifen ebenso wie vergoldete Pumps. Während sie sich dann die Hände mit einem Taschentuch abwischte, das sie um den Hals trug, setzte sie sich in dem Sofa zurecht, auf dem Habinnas' Frau Scintilla ihren Platz hatte, und als diese in die Hände klatscht, küßt sie sie und sagt: „Läßt du dich auch einmal sehen?"

Dann kam es so weit, daß Fortunata ihre Spangen von den fettgepolsterten Armen zog und der staunenden Scintilla zeigte. Schließlich machte sie sogar die Beinreifen los und ein goldenes Haarnetz, das nach ihrer Angabe aus Feingold war. Trimalchio bemerkte das, ließ sich alles bringen und sagte: „Da seht ihr die Fesseln eines Frauenzimmers: so werden wir Idioten ausgeplündert. Sechs Pfund und ein halbes muß sie haben. Auch selber habe ich nichtsdestoweniger eine Zehnpfundspange aus Merkurs Zinsgroschen." Schließlich ließ er sogar, um nicht als Lügner dazustehen, eine Standwaage bringen und das Gewicht reihum prüfen. Auch nicht besser, zog sich Scintilla ein güldenes Medaillon vom Hals, das sie ihren Glücksmann nannte. Daraus brachte sie zwei Ohrgehänge zum Vorschein, gab sie umgekehrt Fortunata zum Anschauen und sagte: „Dank der

randa dedit et 'domini' inquit 'mei beneficio nemo *H*
10 habet meliora'. 'quid?' inquit Habinnas 'excatarissasti
me, ut tibi emerem fabam vitream. plane si filiam
haberem, auriculas illi praeciderem. mulieres si non
essent, omnia pro luto haberemus; nunc hoc est caldum meiere et frigidum potare.'
11   interim mulieres sauciae inter se riserunt ebriaque
iunxerunt oscula, dum altera diligentiam matris fami-
12 liae iactat, altera delicias et indiligentiam viri. dumque
sic cohaerent, Habinnas furtim consurrexit pedesque
13 Fortunatae correptos super lectum immisit. 'au au'
illa proclamavit aberrante tunica super genua. com-
posita ergo in gremio Scintillae incensissimam rubore
faciem sudario abscondit.
68   interposito deinde spatio cum secundas mensas Trimalchio iussisset afferri, sustulerunt servi omnes mensas et alias attulerunt, scobemque croco et minio tinc-
tam sparserunt et, quod numquam ante videram, ex
2 lapide speculari pulverem tritum. statim Trimalchio
'poteram quidem' inquit 'hoc fer[i]culo esse contentus; secundas enim mensas habetis. ⟨sed⟩ si quid belli
habes, affer'.
3   interim puer Alexandrinus, qui caldam ministrabat,
luscinias coepit imitari clamante Trimalchione sub-
4 inde: 'muta'. ecce alius ludus. servus qui ad pedes
Habinnae sedebat, iussus, credo, a domino suo proclamavit subito canora voce:

'interea medium Aeneas iam classe tenebat.'

67,11 ebriaque *scripsi*: ebrieque   **12** correptos *Scheffer*: cor-
rectos   **13** incensissimam *Reinesius*: indecens imam   **68,2** sed
add. Bücheler

Großmut meines Gatten hat niemand bessere." „Was?"
sagte Habinnas, „du hast mich gepiesackt, daß ich dir die
Glaskugeln kaufen sollte! Wirklich, wenn ich eine Tochter
hätte, würde ich ihr die Ohrläppchen abschneiden. Wenn
die Weiber nicht wären, würden wir alles für einen Dreck
ansehen; jetzt heißt es, warm pissen und kalt saufen."

Inzwischen waren die Weiber aus dem Gleichgewicht
gekommen, kicherten miteinander und gaben sich im
Schwips Küsse, während die eine sich über ihre Genauigkeit
als Hausfrau ausließ, die andere über Passionen und Unge-
nauigkeit ihres Mannes. Und während sie so die Köpfe zu-
sammensteckten, stand Habinnas heimlich auf, packte For-
tunatas Füße und warf sie über das Sofa hin. „Huch, huch",
schrie sie auf, als ihr das Unterkleid über die Knie hoch-
rutschte. Daraufhin schmiegte sie sich in Scintillas Schoß
und barg ihr feuerrot übergossenes Gesicht unter dem
Taschentuch.

Als dann nach einer Weile Trimalchio Weisung gab, den
Nachtisch zu bringen, räumten die Sklaven alle Tische fort
und brachten andere, streuten Sägemehl mit einer Tinktur
von Safran und Zinnober und, was ich niemals vorher
gesehen hatte, pulverisiertes Marienglas. Gleich sagte
Trimalchio: „Ich konnte es wohl bei dem letzten Gang
bewenden lassen; denn ihr habt euren ‚Nachtisch'. Aber
wenn du etwas Nettes hast, her damit!"

Inzwischen unternahm es ein Bub aus Alexandria, der
warmes Wasser zu reichen hatte, Nachtigallen nachzumachen, während Trimalchio einmal ums andere rief:
„Variiere!" Da, ein anderer Scherz: Der Sklave, der Habinnas zu Füßen saß, grölte – ich glaube, auf Geheiß seines
Herrn – plötzlich in singendem Tonfall:

> „Äneens Flotte unterdessen zog
> in voller Fahrt bereits dem Ziel entgegen."

5 nullus sonus umquam acidior percussit aures meas; *H*
nam praeter errantis barbariae aut adiectum aut demi-
nutum clamorem miscebat Atellanicos versus, ut
6 tunc primum me etiam Vergilius offenderit. lassus
tamen cum aliquando desisset, adiecit Habinnas: 'et
num⟨quam' in⟩quit 'didicit, sed ego ad circulatores
7 eum mittendo erudibam. itaque parem non habet, sive
muliones volet sive circulatores imitari. desperatum
valde ingeniosus est: idem sutor est, idem cocus, idem
8 pistor, omnis musae mancipium. duo tamen vitia
habet, quae si non haberet, esset omnium numerum:
recutitus est et stertit. nam quod strabonus est, non
curo: sicut Venus spectat. ideo nihil tacet, vix oculo
69 mortuo umquam. illum emi trecentis denariis'. interpellavit loquentem Scintilla et 'plane' inquit 'non omnia artificia servi nequam narras. agaga est; at curabo,
2 stigmam habeat'. risit Trimalchio et 'adcognosco'
inquit 'Cappadocem: nihil sibi defraudat, et mehercules laudo illum; hoc enim nemo parentat. tu autem,
Scintilla, noli zelotypa esse. crede mihi, et vos novi-
3 mus. sic me salvum habeatis, ut ego sic solebam ipsu-
mam meam debattuere, ut etiam dominus suspicaretur;
et ideo me in vilicationem relegavit. sed tace, lingua,
4 dabo panem'. tamquam laudatus esset nequissimus
servus, lucernam de sinu fictilem protulit et amplius
semihora tubicines imitatus est succinente Habinna et
5 inferius labrum manu deprimente. ultimo etiam in

68,5 adiectum *Scheffer*: ab-   immiscebat *Scheffer non neces-*
sario ('*cf. Thes. 8,1088,41' Delz*)   **6** desisset *Scheffer*: ded-
numquam inquit *Bücheler*: numquid   erudibam *Jahnium secutus*
Bücheler: audibant   **7** desperatum *Bücheler*: -tus   **8** numerum *praeeunte Scheffero Haase*: nummorum   nihil tacet] n- la-
tet *Delz post* illum *distinguens*: mihi placet *Heinsius*   emi trecentis *Scheffer*: emit retentis   **69,2** defraudat *Hadrianides*: -dit

Kein Laut ist mir jemals so mörderisch in die Ohren gefahren; denn abgesehen von der in planloser Primitivität bald gesteigerten bald gedämpften Lautstärke ließ der Kerl Possenverse einfließen, so daß ich jetzt zum erstenmal selbst an Vergil Anstoß nahm. Aber als er endlich einmal erschöpft aufhörte, ließ Habinnas eine Bemerkung fallen und sagte: „Dabei hat er nie Unterricht gehabt, sondern ich habe ihn immer zu Straßenmusikanten geschickt, um ihn auszubilden. So hat er nicht seinesgleichen, wenn er meinetwegen Eseltreiber oder meinetwegen Straßenmusikanten nachmachen möchtet. Er ist verdammt mächtig talentiert: in einem ist er Schuster, in einem Koch, in einem Konditor, Mädchen für alles. Zwei Fehler hat er trotzdem – wenn er die nicht hätte, wäre er ein Tausendsassa: er ist beschnitten, und er schnarcht. Denn daß er ein Schielerich ist, macht mir nichts aus: wie Venus schaut er drein. Deswegen steht sein Mund nicht still, seine Augen sind ja wie Quecksilber. Den habe ich für dreihundert Mark gekauft." Scintilla fiel ihm ins Wort und sagte: „Du zählst längst nicht alle Talente des Schlingels von einem Sklaven auf. Er ist ein Poussierer; aber ich bringe es dahin, daß er sein Denkzettel kriegt." Trimalchio mußte lachen und sagte: „Daran erkenne ich den Domestiken: er läßt sich nichts abgehen, und weiß Gott, ich lobe ihn dafür; denn das legt einem niemand aufs Grab. Und du, Scintilla, solltest nicht eifersüchtig sein. Glaub mir, auch euch kennen wir. So wahr ich möchte, daß ihr mich für gesund und munter halten könnt: ich pflegte meine Prinzipalin so abzuwetzen, daß sogar mein Herr Verdacht schöpfte; eben deswegen hat er mich in die Landwirtschaft abgeschoben. Doch still, mein Mund, ich will dich stopfen!" Als ob man ihn gelobt hätte, holte der Erzschlingel von einem Sklaven ein Tonlämpchen aus der Tasche und machte über eine halbe Stunde lang Posaunisten nach, während Habinnas mitsummte und die Unterlippe mit der Hand

medium processit et modo harundinibus quassis chor- *H*
aulas imitatus est, modo lacernatus cum flagello mu-
lionum fata egit, donec vocatum ad se Habinnas basiavit, potionemque illi porrexit et 'tanto melior' inquit
'Massa, dono tibi caligas'.

6 nec ullus tot malorum finis fuisset, nisi epidipnis
esset allata, turdi siliginei uvis passis nucibusque farsi.
7 insecuta sunt Cydonia etiam mala spinis confixa, ut
echinos efficerent. et haec quidem tolerabilia erant, si
non fer[i]culum longe monstrosius effecisset ut vel
8 fame perire mallemus. nam cum positus esset, ut nos
putabamus, anser altilis circaque pisces et omnium
genera avium, '⟨amici⟩' inquit Trimalchio 'quicquid
9 videtis hic positum, de uno corpore est factum'. ego,
scilicet homo prudentissimus, statim intellexi quid
esset, et respiciens Agamemnonem 'mirabor' inquam
'nisi omnia ista de ⟨cera⟩ facta sunt aut certe de luto.
vidi Romae Saturnalibus eiusmodi cenarum imaginem
70 fieri'. necdum finieram sermonem, cum Trimalchio ait:
'ita crescam patrimonio, non corpore, ut ista cocus
2 meus de porco fecit. non potest esse pretiosior homo.
volueris, de vulva faciet piscem, de lardo palumbum,
de perna turturem, de colepio gallinam. et ideo ingenio
meo impositum est illi nomen bellissimum; nam Dae-
3 dalus vocatur. et quia bonam mentem habet, attuli illi
Roma munus cultros Norico ferro'. quos statim iussit
afferri inspectosque miratus est. etiam nobis potestatem fecit, ut mucronem ad buccam probaremus.

69,5 imitatus est *del. Fraenkel*   **6** turdi siliginei *Heinsius*: turdis iligine   farsi *Heinsius*: farsis   **7** effingerent *Heinsius*
8 amici *add. Bücheler*   **9** cera *add. Heinsius*   **70,2** uulua
Scheffer: bulla   **3** attuli *Heinsius*: -it   miratus [est] *Kaibel*

herabzog. Schließlich trat er sogar in die Mitte vor, um bald mit Rohrstückchen Flötisten nachzuahmen, bald mit Kotze und Peitsche Eseltreiberszenen vorzustellen, bis Habinnas ihn zu sich rief und küßte, ihm dann einen Trunk reichte und sagte: „Ganz ausgezeichnet, Massa, ich schenke dir Schaftstiefel."

Und all diese Plagen hätten kein Ende genommen, wenn man nicht das Dessert aufgetragen hätte, Krammetsvögel aus Weizenauszugmehl, mit Rosinen und Nüssen gefüllt. Es folgten gar Quitten, die mit Dornen besteckt waren, so daß sie Igel bildeten. Nun, diese Dinge waren noch erträglich, aber ein weit abenteuerlicherer Gang brachte es dahin, daß wir lieber Hungers gestorben wären. Denn als man, wie wir wenigstens glaubten, eine Mastgans mit Fischen und allerlei Vögeln herum aufgetischt hatte, sagte Trimalchio: „Liebe Freunde, was ihr hier aufgetischt seht, ist alles aus einer Masse gemacht." Ich als erzgescheiter Mann merkte sofort, was los sei, sah mich nach Agamemnon um und sagte: „Es sollte mich wundern, wenn nicht all das aus Wachs gemacht ist oder doch aus Ton. Ich habe in Rom bei den Saturnalien eine solche Nachbildung von Speisenfolgen anfertigen sehen." Und ich hatte noch nicht ausgeredet, als Trimalchio sprach: „So wahr ich zunehmen will, an Geld, nicht an Masse: das da hat mein Koch aus einer Sau gemacht. Eine kostbarere Person läßt sich nicht denken. Ein Wink, und er macht aus der Gebärmutter einen Fisch, aus dem Speck eine Ringeltaube, aus dem Schinken eine Turtel, aus der Keule eine Henne. Eben deswegen hat man ihm nach einem Einfall von mir einen allerliebsten Namen gegeben: man ruft ihn nämlich Dädalus. Und weil er ein gescheiter Geselle ist, habe ich ihm aus Rom steirische Stahlmesser mitgebracht." Die ließ er gleich kommen und bewunderte sie mit Kennerblick. Auch uns gab er Gelegenheit, die Schneide an der Backe zu prüfen.

4   subito intraverunt duo servi, tamquam qui rixam ad *H*
lacum fecissent; certe in collo adhuc amphoras habe-
5 bant. cum ergo Trimalchio ius inter litigantes diceret,
neuter sententiam tulit decernentis, sed alterius am-
6 phoram fuste percussit. consternati nos insolentia
ebriorum intentavimus oculos in proeliantes notavi-
musque ostrea pectinesque e gastris labentia, quae col-
7 lecta puer lance circumtulit. has lautitias aequavit ingeniosus cocus; in craticula enim argentea cochleas
attulit et tremula taeterrimaque voce cantavit.
8   pudet referre quae secuntur: inaudito enim more
pueri capillati attulerunt unguentum in argentea pelve
pedesque recumbentium unxerunt, cum ante crura
9 talosque corollis vinxissent. hinc ex eodem unguento
in vinarium atque lucernam aliquantum est infusum.
10   iam coeperat Fortunata velle saltare, iam Scintilla
frequentius plaudebat quam loquebatur, cum Trimalchio 'permitto' inquit 'Philargyre [et Cario], etsi pra-
sinianus es famosus, dic et Menophilae, contubernali
11 tuae, discumbat'. quid multa? paene de lectis deiecti
sumus, adeo totum triclinium familia occupaverat.
12 certe ego notavi super me positum cocum, qui de porco anserem fecerat, muria condimentisque fetentem.
13 nec contentus fuit recumbere, sed continuo Ephesum
tragoedum coepit imitari et subinde dominum suum
sponsione provocare 'si prasinus proximis circensibus
primam palmam'.

70,4 collo *Heinsius*: loco   6 gastris *Muncker*: c-   9 aliquantum *Heinsius*: liquatum   liquatum est [infusum] *Salonius*
10 'et Cario *interpol. ex 71,2, Menophila enim Philargyri contu-*
bernalis' Kaibel

Mit einemmal traten zwei Sklaven ein, die scheinbar am Brunnen ins Raufen geraten waren; jedenfalls trugen sie noch Krüge geschultert. Als nun Trimalchio den Streit zu schlichten suchte, nahmen sie beide den Schiedsspruch nicht an, sondern schlugen einander mit einem Stock den Krug entzwei. Voll Bestürzung über die Frechheit der Trunkenbolde hefteten wir die Augen auf die Duellanten und bemerkten, daß aus den Krugbäuchen Austern und Muscheln glitten, die ein Bursche einlas und auf einer Schüssel herumreichte. Mit dieser Glanznummer hielt der geniale Koch Schritt; denn auf einem kleinen Silbergrill trug er Schnecken auf und sang dazu mit einer ganz abscheulich tremolierenden Stimme.

Man schämt sich, das Folgende zu berichten: seltsamerweise brachten nämlich langhaarige Burschen Parfüm in einem Silberbecken und rieben damit die Füße der Gäste ein, nachdem sie vorher um Schienbeine und Knöchel kleine Kränze gewunden hatten. Darauf wurde von demselben Parfüm eine Portion in Weinbehälter und Lampe geschüttet.

Jetzt hatte Fortunata Lust zu tanzen bekommen, jetzt klatschte Scintilla häufiger in die Hände als sie sprach, da sagte Trimalchio: „Du hast Erlaubnis, Philargyrus, obwohl du als Parteigänger der Grünen von dir reden machst – sag auch deiner Kumpanin Menophila, sie soll zu Tisch kommen!" Wozu viel reden? Fast von den Sofas wurden wir verdrängt, so hatte die Dienerschaft den ganzen Speisesaal mit Beschlag belegt. Ich stellte meinerseits fest, daß mir zu Häupten der Koch lag, der aus der Sau eine Gans gemacht hatte, in einer Duftwolke von Sur und Gewürzen. Dabei war ihm ein Platz an der Tafel noch nicht genug, sondern alsbald ging er daran, den Tragöden Ephesus nachzumachen und immer wieder seinen Herrn zu einer Wette aufzufordern, „ob bei der nächsten Zirkusvorstellung erster Preis für Grün".

71   diffusus hac contentione Trimalchio 'amici,' inquit *H*
'et servi homines sunt et aeque unum lactem biberunt,
etiam si illos malus fatus oppresserit. tamen me salvo
cito aquam liberam gustabunt. ad summam, omnes
2 illos in testamento meo manu mitto. Philargyro etiam
fundum lego et contubernalem suam, Carioni quoque
3 insulam et vicesimam et lectum stratum. nam Fortunatam meam heredem facio, et commendo illam omnibus
amicis meis. et haec ideo omnia publico, ut familia mea
4 iam nunc sic me amet tamquam mortuum'. gratias
agere omnes indulgentiae coeperant domini, cum ille
oblitus nugarum exemplar testamenti iussit afferri et
totum a primo ad ultimum ingemescente familia reci-
5 tavit. respiciens deinde Habinnam 'quid dicis' inquit
'amice carissime? aedificas monumentum meum,
6 quemadmodum te iussi? valde te rogo ut secundum
pedes statuae meae catellam pingas et coronas et un-
guenta et Petraitis omnes pugnas, ut mihi contingat
tuo beneficio post mortem vivere; praeterea ut sint in
7 fronte pedes centum, in agrum pedes ducenti. omne
genus enim poma volo sint circa cineres meos, et vine-
arum largiter. valde enim falsum est vivo quidem
domos cultas esse, non curari eas, ubi diutius nobis
habitandum est. et ideo ante omnia adici volo: "hoc
8 monumentum heredem non sequatur". ceterum erit
mihi curae ut testamento caveam ne mortuus iniuriam
accipiam. praeponam enim unum ex libertis sepulcro
meo custodiae causa, ne in monumentum meum popu-
9 lus cacatum currat. te rogo ut naves etiam [monumenti

*71,1 oppressit Bücheler, at cf. Thes. 5².969,57 sq.; Hofm.-Szan-
tyr 672a   6 pingas] tuetur Delz, Gnomon 34, 1962, 683: fingas
Scheffer: ponas Bücheler   7 sequitur Bücheler   9 monumenti
mei delevi: ⟨in fronte⟩ mon- mei Keller*

Aufgeräumt von dieser Plänkelei, sagte Trimalchio: „Liebe Freunde, auch Sklaven sind Menschen und haben ganz gleiche Milchen getrunken, nur daß eine böse Fee sie geduckt hat. Aber sie sollen, unberufen für mich, rasch das Wasser der Freiheit kosten. Kurz und gut, sie alle lasse ich in meinem Testament frei. Philargyrus vermache ich außerdem ein Grundstück und seine Kumpanin, auch Cario ein Mietshaus und die fünf Prozent und ein komplettes Bett. Meine Fortunata setze ich ja als Haupterbin ein und empfehle sie allen meinen Freunden. Und dies alles eröffne ich deswegen, damit mich die Meinen schon jetzt so lieben, als wäre ich tot." Alle hatten Danksprüche auf die Güte ihres Herrn begonnen, als er Ernst machte, eine Abschrift seines Testaments bringen ließ und es ganz von Anfang bis zu Ende unter dem Aufschluchzen der Seinen vorlas. Dann sah er sich nach Habinnas um und sagte: „Wie stehts, teuerster Freund? Du baust doch mein Grabmal, wie ich es bei dir bestellt habe? Sei bitte so gut, zu Füßen meines Standbildes das Schoßhündchen zu konterfeien und Kränze und Parfümerien und alle Kämpfe von Petraites, damit es mir durch deine Freundlichkeit vergönnt wird, nach dem Tode zu leben; außerdem in der Front auf hundert Fuß zu gehen, feldeinwärts auf zweihundert Fuß. Denn allerlei Obstbäume, so verfüge ich, sollen um meine Aschenstätte herumstehen und reichlich was an Reben. Es ist nämlich ganz verkehrt, wenn man bei Lebzeiten ein gepflegtes Haus führt, sich aber nicht um das kümmert, wo wir länger zu wohnen haben. Eben deswegen verfüge ich vor allem, daß man hinzusetzt: ‚Dieses Grabmal tut nicht auf den Erben übergehen.' Im übrigen wird es mir angelegen sein, in meinem Testament dafür zu sorgen, daß ich als Toter nicht Unbill leide. Ich will nämlich einen meiner Freigelassenen zur Aufsicht über meine Ruhestätte setzen, damit die Leute nicht zum Scheißen nach meinem Grabmal rennen. Sei du so gut und bilde auch

mei] facias plenis velis euntes, et me in tribunali seden-
tem praetextatum cum anulis aureis quinque et nummos in publico de sacculo effundentem; scis enim quod
10 epulum dedi binos denarios. faciantur, si tibi videtur,
et triclinia. facias et totum populum sibi suaviter facien-
11 tem. ad dexteram meam ponas statuam Fortunatae
meae columbam tenentem: et catellam cingulo alliga-
tam ducat: et cicaronem meum, et amphoras copiosas
gypsatas, ne effluant vinum. et unam licet fractam
sculpas, et super eam puerum plorantem. horologium
in medio, ut quisquis horas inspiciet, velit nolit, no-
12 men meum legat. inscriptio quoque vide diligenter si
haec satis idonea tibi videtur: "C. Pompeius Trimalchio Maecenatianus hic requiescit. huic seviratus absenti decretus est. cum posset in omnibus decuriis
Romae esse, tamen noluit. pius, fortis, fidelis, ex parvo
crevit; sestertium reliquit trecenties, nec umquam phi-
losophum audivit. vale: et tu".'

72 haec ut dixit Trimalchio, flere coepit ubertim. flebat
et Fortunata, flebat et Habinnas, tota denique familia,
tamquam in funus rogata, lamentatione triclinium im-
2 plevit. immo iam coeperam etiam ego plorare, cum
Trimalchio 'ergo' inquit 'cum sciamus nos morituros
3 esse, quare non vivamus? sic vos felices videam, con-
iciamus nos in balneum, meo periculo, non paenitebit.
4 sic calet tamquam furnus'. 'vero, vero' inquit Habinnas 'de una die duas facere, nihil malo' nudisque con-

---

71,10 faciantur *Goesius*: -atur   facias *Bücheler*: -es   11 ponas *vulgo*: -es   (*futurum utrubique tuetur Petersmann 172*)   co-
piose *George*   unam] urnam *Jac. Gronovius*   12 pius *Reinesius*: plus

Segelschiffe in voller Fahrt ab und mich, wie ich auf der Ehrentribüne sitze, in einer Toga mit Purpurborte und mit fünf goldenen Ringen, und aus dem Geldbeutel Münzen unter der Menge ausschütte; du weißt ja, wie ich sie freigehalten habe zu zwei Mark pro Mann. Wenn du meinst, gehören auch Speisesofas abgebildet. Du kannst auch alle Leute abbilden, wie sie sich gütlich tun. Zu meiner Rechten stell ein Standbild meiner Fortunata auf, mit einer Taube in der Hand: und sie soll das Schoßhündchen am Gürtel angeleint halten; und meinen Butzelmann, und dicke Fässer mit Gipsverschluß, damit sie den Wein nicht auslaufen lassen. Und eins darfst du zerbrochen modellieren, und über ihm einen Burschen, wie er heult. Eine Sonnenuhr in der Mitte, damit jeder, der nach der Zeit sieht, er mag wollen oder nicht, meinen Namen liest. Auch überleg dir genau, ob dir folgende Inschrift passend genug erscheint: ,Hier ruht C. Pompejus Trimalchio Maecenatianus. Ihm wurde in Abwesenheit Sitz im Sechserrat verliehen. Er konnte jeder Beamtenschaft in Rom angehören, hat jedoch verzichtet. Fromm, tapfer, treu; aus kleinen Verhältnissen ist er aufgestiegen; 30 Millionen hat er hinterlassen und nie einen Philosophen gehört. Leb wohl; du gleichfalls.'"

Wie Trimalchio dies gesagt hatte, fing er ausgiebig zu weinen an. Es weinte auch Fortunata, es weinte auch Habinnas, die ganze Dienerschaft füllte schließlich, wie zum Begräbnis gebeten, mit ihrem Lamento den Speisesaal. Damit nicht genug, hatte auch ich schon zu heulen angefangen, als Trimalchio sagte: „Also wenn wir wissen, daß wir sterben müssen, warum sollen wir nicht leben? Ich will euch bestimmt ein Vergnügen machen: stürzen wir uns ins Bad, auf meine Verantwortung, ihr werdets nicht bereuen. Es ist so heiß wie ein Backofen." „Recht so, recht so", rief Habinnas, „aus einem Tage zwei machen, nichts mag ich

surrexit pedibus et Trimalchionem gaudentem sub-
sequi ⟨coepit⟩.

5   ego respiciens ad Ascylton 'quid cogitas?' inquam
6 'ego enim si videro balneum, statim expirabo'. 'assen-
temur' ait ille 'et dum illi balneum petunt, nos in turba
7 exeamus'. cum haec placuissent, ducente per porticum
Gitone ad ianuam venimus, ubi canis catenarius tanto
nos tumultu excepit, ut Ascyltos etiam in piscinam
ceciderit. nec non ego quoque ebrius [qui etiam pictum timueram canem], dum natanti opem fero, in
8 eundem gurgitem tractus sum. servavit nos tamen
atriensis, qui interventu suo et canem placavit et nos
9 trementes extraxit in siccum. et Giton quidem iam dudum se ratione acutissima redemerat a cane; quicquid
enim a nobis acceperat de cena, latranti sparserat, at
10 ille avocatus cibo furorem suppresserat. ceterum cum
algentes udique petissemus ab atriense ut nos extra
ianuam emitteret, 'erras' inquit 'si putas te exire hac
posse qua venisti. nemo umquam convivarum per ean-
73 dem ianuam emissus est; alia intrant, alia exeunt'. quid
faciamus homines miserrimi et novi generis labyrintho
2 inclusi, quibus lavari iam coeperat votum esse? ultro
ergo rogavimus ut nos ad balneum duceret, proiectis-
que vestimentis, quae Giton in aditu siccare coepit,
balneum intravimus, angustum scilicet et cisternae
frigidariae simile, in quo Trimalchio rectus stabat. ac
ne sic quidem putidissimam eius iactationem licuit
effugere; nam nihil melius esse dicebat quam sine turba

72,4 plaudentem *Jacobs*   subsequitur *Gaselee (praesens tem-*
pus Petroniano more excipiens perfectum; cf. Petersmann 170)
coepit *add. Burmannus*   7 ebrius] *'expectas territus' Bücheler*
qui … canem *delevi*   9 se ratione *Scheffer:* seruatione   10 udique *Bücheler:* utique   73,2 quo *Bücheler:* qua   eius iactationem *Heinsius:* ei actionem

lieber", stand mit bloßen Füßen auf und schickte sich an, dem strahlenden Trimalchio zu folgen.

Ich sah mich nach Askyltos um und sagte: „Was meinst du? Denn wenn jedenfalls ich das Bad zu sehen bekomme, gebe ich gleich den Geist auf." „Machen wir mit", antwortete er, „und wenn die anderen das Bad aufsuchen, gehen wir im Gedränge davon." Wir einigten uns hierauf und gelangten unter Gitons Führung durch die Eingangshalle zur Haustür, wo uns der Kettenhund mit so gewaltigem Aufruhr empfing, daß Askyltos gar ins Fischbassin fiel. Und auch mir in meinem Rausch blieb es nicht erspart, als ich dem Schwimmer Hilfe leisten wollte, mich in die gleiche Tiefe ziehen zu lassen. Wer uns dennoch rettete, war der Hausmeister, der mit seinem Erscheinen ebenso den Hund beruhigte wie uns bibbernde Geschöpfe aufs Trockene zog. Ja, Giton – der hatte sich schon längst auf höchst raffinierte Weise von dem Hund losgekauft; was ihm nämlich von uns bei Tische zugesteckt worden war, hatte er alles dem Kläffer ausgeworfen, der aber war durch das Fressen abgelenkt worden und hatte seine Wut bezähmt. Als wir im übrigen frierend und tropfnaß den Hausmeister baten, uns vor die Tür hinauszulassen, sagte er: „Du irrst, wenn du annimmst, zu der Tür hinausgehen zu können, wo du hereingekommen bist. Kein Gast ist jemals durch die gleiche Tür hinausgelassen worden; bei der einen ist Eingang, bei der anderen Ausgang." Was sollten wir armen Teufel machen, die sich in eine neue Art von Labyrinth eingesperrt sahen? Mittlerweile war uns das Baden schon zum Herzenswunsch geworden! Also baten wir ihn von selbst, uns ins Bad zu führen, warfen dann die Kleider ab – Giton ging im Vorraum daran, sie zu trocknen – und betraten das Bad, einen übrigens engen und einem Kaltwasserreservoir ähnlichen Raum, in dem Trimalchio aufrecht dastand. Und nicht einmal in dieser Situation war es uns verstattet, vor seiner

lavari, et eo ipso loco aliquando pistrinum fuisse. *H*
3 deinde ut lassatus consedit, invitatus balnei sono di-
duxit usque ad cameram os ebrium et coepit Mene-
cratis cantica lacerare, sicut illi dicebant qui linguam
4 eius intellegebant. ceteri convivae circa labrum manibus nexis currebant et gingilipho ingenti clamore ex-
sonabant. alii autem [aut] restrictis manibus anulos de
pavimento conabantur tollere aut posito genu cervices
post terga flectere et pedum extremos pollices tangere.
5 nos, dum illi sibi ludos faciunt, in solium, quod Trimalchioni ⟨tem⟩perabatur, descendimus.

ergo ebrietate discussa in aliud triclinium deducti
sumus, ubi Fortunata disposuerat lautitias [suas ita ut
supra] ⟨*⟩ lucernas aeneolosque piscatores notavimus
et mensas totas argenteas calicesque circa fictiles inau-
6 ratos et vinum in conspectu sacco defluens. tum Trimalchio 'amici,' inquit 'hodie servus meus barbatoriam
fecit, homo praefiscini frugi et micarius. itaque tango-
74 menas faciamus et usque in lucem cenemus'. haec
dicente eo gallus gallinaceus cantavit. qua voce con-
fusus Trimalchio vinum sub mensa iussit effundi lucer-
2 namque etiam mero spargi. immo anulum traiecit in
dexteram manum et 'non sine causa' inquit 'hic buci-
nus signum dedit; nam aut incendium oportet fiat, aut
3 aliquis in vicinia animam abiciet. longe a nobis. itaque
quisquis hunc indicem attulerit, corollarium accipiet'.
4 dicto citius [de vicinia] gallus allatus est, quem Tri-

73,4 num ceter⟨um ali⟩i?   gingilipho] γιγγλισμοί *subesse pu-*
tabat Bücheler   aut *del. Bücheler*   ⟨dentibus⟩ conabantur *vel*
c- ⟨ore⟩ coniecit *Burmannus*   **5** illi *Bücheler*: alii *H*: alii ⟨alios⟩
Kaibel   solium *Bücheler*: solo *H*: solio *Scheffer* (*cf. Cels. 2,17,7*)
temperabatur *Heinsius*: peruapatur *H*: parabatur *H^m*: seruabatur
Novák (*cf. Petersmann 141^{98}*)   suas *subditis duobus punctis H*:
del. Bücheler (*servat Smith fortasse recte*)   ita ut supra *delevi*
lac. indicavi   notauimus *scripsi*: -uerim   **6** seruus meus] Croe-
sus m- *Wehle*   **74,2** *num* eiciet?   **4** de uicinia *delevi*

zum Himmel stinkenden Großtuerei Ruhe zu finden; denn er sagte, es gebe nichts Besseres als ohne Gedränge zu baden, und genau an dieser Stelle sei einmal eine Backstube gewesen. Wie er dann erschöpft Platz nahm, ließ er sich durch die Resonanz des Bades bestimmen, in seinem Rausch den Mund bis zum Plafond aufzureißen und nun die Arien des Menekrates zu verhunzen, nach Aussage derer, die sein Kauderwelsch verstanden. Die übrigen Gäste liefen Hand in Hand um die Beckenfassung und brüllten aus vollem Halse „Simsaladim". Andere jedoch machten Versuche, die Hände auf dem Rücken verschränkt, Ringe vom Boden aufzuschnappen oder kniend den Hals rückwärts zu biegen und die Zehenspitzen zu berühren. Wir selber stiegen, während sie sich belustigten, in die Wanne, die für Trimalchio auf Badetemperatur gebracht wurde.

Als damit der Rausch verflogen war, wurden wir in einen anderen Speisesaal geleitet, wo Fortunata Schaustücke ausgestellt hatte. ... Uns fielen Lampen und Bronzestatuetten von Fischern auf und massive Silbertische mit vergoldeten Tonbechern ringsherum und Wein, der vor aller Augen durch ein Tuch abfloß. Da sagte Trimalchio: „Liebe Freunde, heute hat einer meiner Sklaven Bartfest gehabt, unberufen ein ordentlicher Mann und genau bis aufs Tüpfelchen. So wollen wir Prosit machen und bis Tagesanbruch tafeln." Als er das sagte, stimmte ein Gockelhahn sein Lied an. Dieser Laut setzte Trimalchio so außer Fassung, daß er Wein unter dem Tisch ausgießen und sogar die Lampe mit Rebensaft besprengen ließ. Damit nicht genug, steckte er einen Ring an die rechte Hand um und sagte: „Es hat seinen Grund, daß dieser Traramacher Signal gegeben hat; denn entweder muß ein Brand ausbrechen, oder einer im Umkreis wird abkratzen. Nicht bei uns! Wer also diesen Propheten bringt, bekommt ein Trinkgeld." Er hatte noch nicht ausgeredet, als der Hahn gebracht wurde.

5 malchio iussit ut aeno coctus fieret. laceratus igitur ab *H*
illo doctissimo coco, qui paulo ante de porco aves
piscesque fecerat, in caccabum est coniectus. dumque
Daedalus potionem ferventissimam haurit, Fortunata
mola buxea piper trivit.

6   sumptis igitur matteis respiciens ad familiam Trimalchio 'quid vos' inquit 'adhuc non cenastis? abite,
7 ut alii veniant ad officium'. subiit igitur alia classis, et
illi quidem exclamavere: 'vale Gai', hi autem: 'ave
8 Gai'. hinc primum hilaritas nostra turbata est; nam
cum puer non inspeciosus inter novos intrasset minis-
tros, invasit eum Trimalchio et osculari diutius coe-
9 pit. itaque Fortunata, ut ex aequo ius firmum appro-
baret, male dicere Trimalchioni coepit et purgamen-
tum dedecusque praedicare, qui non contineret libidi-
10 nem suam. ultimo etiam adiecit: 'canis'. Trimalchio
contra offensus convicio calicem in faciem Fortunatae
11 immisit. illa tamquam oculum perdidisset exclamavit
12 manusque trementes ad faciem suam admovit. con-
sternata est etiam Scintilla trepidantemque sinu suo
texit. immo puer quoque officiosus urceolum frigidum
ad malam eius admovit, super quem incumbens
13 Fortunata gemere ac flere coepit. contra Trimalchio
'quid enim?' inquit 'ambubaia non meminit? [se] de
machina illam sustuli, hominem inter homines feci. at
inflat se tamquam rana, et in sinum suum non spuit,
14 codex, non mulier. sed hic qui in pergula natus est

74,4 iussit ⟨occidi⟩ *Büchelero duce Bendz*   oenococtus *Orioli*
9 Trimalchioni *post Antonium Bücheler:* -nem *H:* [Trimalchio-
nem] ⟨ei⟩ *Bücheler[1]*   13 meminit *Heinsius:* me misit   se *delevi*   machina illam *Reiske:* machillam illam   non spuit *Reiske:* conspuit

Trimalchio gab Weisung, ihn im Kessel garzukochen. Also wurde er von dem bewußten Kochkünstler, der kurz zuvor aus einer Sau Vögel und Fische bereitet hatte, zerlegt und in einen Topf geworfen. Und während Dädalus siedendheiße Brühe herausschöpfte, machte Fortunata in einer Mühle von Buchsbaumholz Pfeffer klein.

Nachdem also die Appetithappen eingenommen waren, sah sich Trimalchio nach der Dienerschaft um und sagte: „Was ist mit euch? Habt ihr noch nicht zu Nacht gegessen? Rückt ab, laßt andere zum Dienst kommen!" Es rückte also eine Ablösung nach, und die ersten schmetterten „Auf Wiedersehen, Gajus!", die anderen „Guten Morgen, Gajus!" Im folgenden geriet unsere Heiterkeit zum erstenmal ins Wanken; denn als ein nicht unhübscher Bursche unter den neuen Dienern eingetreten war, fiel Trimalchio über ihn her und begann ihn ausgiebig zu küssen. So begann Fortunata, um den Satz ‚Gleiches Recht für alle' als gültig zu erweisen, auf Trimalchio zu schimpfen und ihn mit „Unflat" und „Schandkerl" zu titulieren, der seine Geilheit nicht beherrschen könne. Am Ende setzte sie sogar hinzu: „Du Hund!" Trimalchio auf der anderen Seite nahm die Schelte übel und schleuderte Fortunata einen Becher ins Gesicht. Sie brüllte, als hätte sie ein Auge verloren, und schlug sich die bebenden Hände vor das Gesicht. Auch Scintilla geriet in Bestürzung und legte schützend ihren Arm um die Zitternde. Damit nicht genug, hielt ihr auch ein Bursche dienstfertig ein kühles Wasserkrüglein an die Wange, über das sich Fortunata mit ausbrechendem Jammern und Weinen hinlehnte. Auf der anderen Seite sagte Trimalchio: „Wie haben wirs denn? Die Bänkelsängerin erinnert sich nicht? Bei der Sklavenschau habe ich sie aufgelesen, zum Menschen unter Menschen gemacht. Doch sie bläht sich auf wie ein Frosch und spuckt sich nicht in den Busen, ein Klotz, keine Frau. Aber einer, der in der Mansarde geboren ist, hat vom Par-

aedes non somniatur. ita genium meum propitium *H*
15 habeam, curabo domata sit Cassandra caligaria. et ego,
homo dipundiarius, sestertium centies accipere potui.
scis tu me non mentiri. Agatho unguentarius [here]
proxime seduxit me et "suadeo" inquit "non patiaris
16 genus tuum interire". at ego dum bonatus ago et nolo
17 videri levis, ipse mihi asciam in crus impegi. recte,
curabo me unguibus quaeras. et ut depraesentiarum
intellegas quid tibi feceris: Habinna, nolo statuam eius
in monumento meo ponas, ne mortuus quidem lites
habeam. immo, ut sciat me posse malum dare, nolo me
mortuum basiet'.

75 post hoc fulmen Habinnas rogare coepit ut iam desi-
neret irasci et | 'nemo' inquit 'nostrum non peccat. *HL*(
2 homines sumus, non dei'. | idem et Scintilla flens dixit *H*
ac per genium eius Gaium appellando rogare coepit
3 ut se frangeret. non tenuit ultra lacrimas Trimalchio
et 'rogo' inquit 'Habinna, sic peculium tuum frunisca-
ris: si quid perperam feci, in faciem meam inspue.
4 puerum basiavi frugalissimum, non propter formam,
sed quia frugi est: decem partes dicit, librum ab oculo
legit, thraecium sibi de diariis fecit, arcisellium de suo
5 paravit et duas trullas. non est dignus quem in oculis
6 feram? sed Fortunata vetat. ita tibi videtur, fulcipedia?
suadeo bonum tuum concoquas, milva, et me non

74,14 sit *patav.*: si *H*: sis *Orioli*   15 here *del. Nisbet*
75,1 nostrum non *L*φ: non nostrum *H*   2 se frangeret *Heinsius*:
effr-   4 thraecium *Orelli*: thretium

terre keinen Dunst. So wahr ich möchte, daß mein Schutzgeist mir gewogen ist: ich will es dahin bringen, daß sie
stille ist, die Kommißstiefel-Kassandra. Dabei hätte ich
Dreigroschenkopf zehn Millionen kriegen können. Du
weißt, daß ich nicht lüge. Agatho, der Drogist, hat mich
noch vor ganz kurzer Zeit beiseite genommen und gesagt:
‚Ich rate dir, tu dein Geschlecht nicht aussterben lassen!‘
Aber ich, indem daß ich mich als Biedermann aufführe
und nicht unsolide dastehen will, habe mir selbst die Axt ins
Bein geschlagen. Schon recht, ich will es dahin bringen, daß
du dir nach mir die Nägel wundscharren sollst. Und damit
du auf der Stelle merkst, was du dir eingebrockt hast:
Habinnas, ich verfüge, daß du kein Standbild von ihr auf
meinem Grabmal anbringst, damit ich wenigstens als
Leiche keine Streitereien habe. Nicht doch: damit sie weiß,
daß ich zuschlagen kann, verfüge ich, daß sie meine Leiche
nicht küssen darf.“

Nach diesem Blitzschlag drang Habinnas in ihn, doch
jetzt von seinem Zorn abzulassen, und sagte: „Niemand
von uns ist ohne Fehl. Menschen sind wir, keine Götter.“
Dasselbe sagte weinend auch Scintilla, und indem sie seinen
Schutzgeist anrief und ihn Gajus nannte, drang sie in ihn,
sich zu mäßigen. Trimalchio konnte die Tränen nicht
länger zurückhalten und sagte: „Bitt schön, Habinnas, so
wahr ich wünsche, daß du dein Hab und Gut genießen
sollst: wenn ich etwas verkehrt gemacht habe, spuck mir ins
Gesicht! Einen kreuzbraven Jungen habe ich geküßt, nicht
wegen seiner Schönheit, sondern weil er brav ist: durch
zehn kann er teilen, ein Buch kann er vom Blatt lesen, einen
Fechterdreß hat er sich von seinem Kostgeld zugelegt,
einen Armstuhl hat er sich aus eigener Tasche angeschafft
und zwei Schöpflöffel. Verdient er nicht, mein Augenstern
zu sein? Aber Fortunata verbietets. Das paßt dir wohl so,
Stöckelprinzessin? Ich rate, verdaue deinen eigenen Kohl,

facias ringentem, amasiuncula: alioquin experieris *H*
7 cerebrum meum. nosti me: quod semel destinavi,
clavo tabulari fixum est. sed vivorum meminerimus.
8 vos rogo, amici, ut vobis suaviter sit. nam ego quoque
tam fui quam vos estis, sed virtute mea ad hoc perveni.
corcillum est quod homines facit, cetera quisquilia
9 omnia. "bene emo, bene vendo"; alius alia vobis dicet.
felicitate dissilio. tu autem, sterteia, etiamnum ploras?
10 iam curabo fatum tuum plores. sed, ut coeperam
dicere, ad hanc me fortunam frugalitas mea perduxit.
tam magnus ex Asia veni quam hic candelabrus est.
ad summam, quotidie me solebam ad illum metiri, et
ut celerius rostrum barbatum haberem, labra de lu-
11 cerna ungebam. tamen ad delicias [femina] ipsimi
[domini] annos quattuordecim fui. nec turpe est quod
dominus iubet. ego tamen et ipsimae [dominae] satis
faciebam. scitis quid dicam: taceo, quia non sum de
76 gloriosis. ceterum, quemadmodum di volunt, dominus in domo factus sum, et ecce cepi ipsimi cerebellum.
2 quid multa? coheredem me Caesari fecit, et accepi
3 patrimonium laticlavium. nemini tamen nihil satis est.
concupivi negotiari. ne multis vos morer, quinque
naves aedificavi, oneravi vinum – et tunc erat contra
4 aurum – misi Romam. putares me hoc iussisse: omnes
naves naufragarunt, factum, non fabula. uno die Nep-
5 tunus trecenties sestertium devoravit. putatis me defe-
cisse? non mehercules mi haec iactura gusti fuit, tam-

75,6 facias *Mentelius*: -es   7 trabali *Scheffer*   8 corcillum
Scheffer: coric-   10 metiri *Scheffer*: me uri   11 femina *et*
domini *et* dominae *del. Bücheler*   76,2 accepi *Scheffer*: -it
4 Neptunus *patav.*: neptunno

du Geier, und tu mich nicht zum Knurren bringen, Herzchen, sonst kriegst du meinen Rappelkopf zu spüren! Du kennst mich: was ich mir einmal vorgenommen habe, steht, als hätte mans mit einem Reißnagel festgemacht. Aber wir wollen ans Leben denken. Seid so gut, liebe Freunde, macht es euch gemütlich! Auch ich bin ja so dran gewesen wie ihr es seid, aber mit meiner Tüchtigkeit habe ich es bis hierher gebracht. Das Oberstübchen ist es, was den Menschen ausmacht, alles übrige sind Kinkerlitzchens. ‚Gut eingekauft, gut abgesetzt‘: da kann euch einer sagen, was er will. Ich floriere zum Platzen. Aber du Schnarchliese heulst immer noch? Ich will es noch dahin bringen, daß du über deine Fee heulen sollst. Aber was ich sagen wollte: zu diesem Wohlstand hat mir meine Anspruchslosigkeit verholfen. Als ich aus Kleinasien kam, war ich nicht größer als wie dieses Kandelaber ist. Kurz und gut, alle Tage habe ich mich immer an ihm gemessen und mir, um schneller einen Bart am Schnabel zu haben, die Lippen aus der Öllampe eingerieben. Trotzdem habe ich vierzehn Jahre den Schatz vom Prinzipal gemacht. Es ist ja keine Schande, was der Herr befiehlt. Ich stellte trotzdem auch die Prinzipalin zufrieden. Ihr wißt, was ich meine: ich schweige, weil ich keiner von den Protzen bin. Im übrigen, wie es der Himmel so will, bin ich Herr im Haus geworden und habe, stellt euch vor, meinem Prinzipal den Kopf verdreht. Wozu viel reden? Als Miterben hat er mich neben dem Kaiser eingesetzt, und ich habe ein Vermögen wie ein Fürst gekriegt. Aber keiner hat nie genug. Ich habe zu Handelsgeschäften Lust bekommen. Um euch nicht lange aufzuhalten: fünf Schiffe habe ich gebaut, Wein geladen – und damals wog er Gold auf –, nach Rom geschickt. Es war, als hätte ichs bestellt: alle Schiffe sind gekentert, Tatsache, kein Theater. An einem Tag hat Neptun dreißig Millionen geschluckt. Denkt ihr, ich hätte schlapp gemacht? Weiß Gott, mir ist dieser Scha-

quam nihil facti. alteras feci maiores et meliores et *H*
feliciores, ut nemo non me virum fortem diceret.
6 sc⟨it⟩is, magna navis magnam fortitudinem habet.
oneravi rursus vinum, lardum, fabam, seplasium, man-
7 cipia. hoc loco Fortunata rem piam fecit; omne enim
aurum suum, omnia vestimenta vendidit et mi centum
aureos in manu posuit. hoc fuit peculii mei fermentum.
8 cito fit quod di volunt. uno cursu centies sestertium
corrotundavi. statim redemi fundos omnes, qui pa-
troni mei fuerant. aedifico domum, venalicia coemo,
iumenta; quicquid tangebam, crescebat tamquam
9 favus. postquam coepi plus habere quam tota patria
mea habet, manum de tabula: sustuli me de negotia-
10 tione et coepi ⟨per⟩ libertos faenerare. et sane nolentem me negotium meum agere exhortavit mathemati-
cus, qui venerat forte in coloniam nostram, Graeculio,
11 Serapa nomine, consiliator deorum. hic mihi dixit
etiam ea quae oblitus eram; ab acia et acu mi omnia
exposuit; intestinas meas noverat; tantum quod mihi
non dixerat quid pridie cenaveram. putasses illum
77 semper mecum habitasse. rogo, Habinna – puto, inter-
fuisti –: "tu dominam tuam de rebus illis fecisti. tu
parum felix in amicos es. nemo umquam tibi parem
gratiam refert. tu latifundia possides. tu viperam sub
2 ala nutricas" et, quod vobis non dixerim, etiam nunc
mi restare vitae annos triginta et menses quattuor et
dies duos. praeterea cito accipiam hereditatem. hoc

76,6 scitis *Bücheler*: scis   8 fit *Scheffer*: fio   *aut* iumen-
taque *scribendum aut* paro *ante* uenalicia *inserendum esse censebat
Bücheler*   **9** per *add. Heinsius*   10 nolentem *Scheffer*: -te
exhortauit *H^m*: exorauit   11 exposuit *Scheffer*: -scit   **77,1** de
rebus illis] *cf. Heraeus 116*   amicos] -is *Scheffer*   **2** quod]
quid *Scheffer*

den egal gewesen, so wie gar nicht geschehen. Ich habe andere machen lassen, größer und besser und einträglicher, so daß keiner da war, der mich nicht einen Leistungsmenschen nannte. Ihr wißt, ein großes Schiff kann Großes leisten. Ich habe wieder Wein geladen, Speck, Bohnen, Parfüm, Sklavenware. An diesem Punkt hat Fortunata ein gutes Werk getan; nämlich ihren ganzen Schmuck, die ganze Garderobe hat sie verkauft und mir hundert Goldstücke in die Hand gedrückt. Das war die Hefe für mein Vermögen. Schnell kommt, was der Himmel will. Mit einer einzigen Fahrt habe ich zehn Millionen zusammengehamstert. Sofort habe ich alle Grundstücke eingelöst, die meinem früheren Herrn gehört hatten. Ich baue ein Haus, kaufe Knechte ein, Packtiere; was ich anfaßte, setzte alles an wie eine Wabe. Nachdem ich so weit war, daß ich mehr hatte als meine ganze Gemeinde hat – Strich darunter! Ich bin aus dem Handelsgeschäft ausgestiegen und habe angefangen, unter Freigelassenen Bank zu halten. Und als ich bestimmt meinem Handel nicht mehr nachgehen wollte, hat mir ein Astrologe zugeredet, der gerade in unser Nest gekommen war, ein Kerlchen aus Griechenland, Serapa mit Namen, mit den Göttern auf Du und Du. Der hat mir sogar Sachen gesagt, die ich vergessen hatte; klitzeklein hat er mir alles auseinandergesetzt; in meinem Gedärms wußte er Bescheid; gerade daß er mir nicht erst einmal sagte, was ich am Tag vorher gespeist hatte. Es war, als hätte der Mann immer mit mir unter einem Dach gelebt. Bitt schön, Habinnas – ich glaube, du bist dabeigewesen –: ,Du hast deine Gattin mit dem bewußten Mittel in die Hand bekommen. Du hast wenig Glück mit deine Freunde. Niemand bezeigt dir jemals angemessenen Dank. Du bist Großgrundbesitzer. Du päppelst eine Schlange an deinem Busen.' Und, was ich vor euch nicht sagen sollte, daß mir jetzt noch dreißig Jahre und vier Monate und zwei Tage vom Leben bleiben. Außerdem

3 mihi dicit fatus meus. quod si contigerit fundos Apu-
4 liae iungere, satis vivus pervenero. interim dum Mercurius vigilat, aedificavi hanc domum. ut scitis, †cu-
suc† erat; nunc templum est. habet quattuor cenati-
ones, cubicula viginti, porticus marmoratos duos,
susum cellationem, cubiculum in quo ipse dormio,
viperae huius sessorium, ostiarii cellam perbonam;
5 hospitium hospites 〈C〉 capit. ad summam, Scaurus
cum huc venit, nusquam mavoluit hospitari, et habet
ad mare paternum hospitium. et multa alia sunt, quae
6 statim vobis ostendam. credite mihi: assem habeas,
assem valeas; habes, habeberis. sic amicus vester, qui
7 fuit rana, nunc est rex. interim, Stiche, profer vitalia,
in quibus volo me efferri. profer et unguentum et ex
illa amphora gustum, ex qua iubeo lavari ossa mea.'
78 non est moratus Stichus, sed et stragulam albam et
praetextam in triclinium attulit   〈*〉
iussitque nos temptare an bonis lanis essent confecta.
2 tum subridens 'vide tu' inquit 'Stiche, ne ista mures
tangant aut tineae; alioquin te vivum comburam. ego
gloriosus volo efferri, ut totus mihi populus bene im-
3 precetur'. statim ampullam nardi aperuit omnesque
nos unxit et 'spero' inquit 'futurum ut aeque me mor-
4 tuum iuvet tamquam vivum'. nam vinum quidem in
vinarium iussit infundi et 'putate vos' ait 'ad parentalia
mea invitatos esse'.

77,4 cusuc] casula *Heinsius*: gurgustium *Wehle*   marmoratos
Bücheler: -tis   cellationem] cenationem *Scheffer*   C *add.*
Heinsius   78,1 *lac. ind. Bücheler*   3 ampullam *patav.*: appol-
lam

soll ich in Kürze eine Erbschaft machen. Das verkündet mir meine Fee. Wenn es mir aber noch glückt, meine Grundstücke an Apulien anzuschließen, habe ich es im Leben weit genug gebracht. Einstweilen habe ich, indem daß Merkur die Hand über mich hielt, dieses Haus gebaut. Wie ihr wißt, war es eine Bruchbude; jetzt ist es ein Tempel. Es hat vier Eßzimmer, zwanzig Schlafräume, zwei Marmorkolonnads, oben eine Kammerflucht, einen Schlafraum, in dem mein eigenes Bett steht, das Boudoir dieser Schlange, eine hochanständige Portierloge; der Gästetrakt faßt hundert Gäste. Kurz und gut, wenn Scaurus hierher gekommen ist, hat er sich nirgend sonst einquartieren gewollt, dabei hat er an der See vom Vater her ein Quartier. Und es gibt noch viel anderes, was ich euch gleich zeigen will. Ihr könnt mir glauben: wenn du einen Groschen hast, bist du einen Groschen wert; hast du was, giltst du was. So ist euer Freund, der ein Frosch war, jetzt ein König. Inzwischen, Stichus, bring den Paradestaat her, in dem ich einmal hinausgetragen werden will. Bring auch das Parfüm her und eine Probe aus dem Faß, du weißt schon, woraus man zum Waschen meiner Gebeine nehmen soll."

Stichus hielt sich nicht auf, sondern brachte eine weiße Decke ebenso wie eine Toga mit Purpurborte in den Speisesaal. ... Und er hieß uns fühlen, ob sie aus guter Wollware gearbeitet seien. Dann sagte er schmunzelnd: „Gib du acht, Stichus, daß keine Mäuse darankommen oder Motten; sonst lasse ich dich bei lebendigem Leibe verbrennen. Ich, ich will einmal mit Glanz und Gloria hinausgetragen werden, daß alle Leute mir ihren Segen nachrufen." Dann machte er gleich das Fläschchen mit Nardenessenz auf, betupfte uns alle und sagte: „Ich hoffe, es kommt so, daß mir das im Tode ebenso wohltut als wie im Leben." Ja, sogar Wein ließ er in einen Behälter gießen und meinte: „Stellt euch vor, daß ihr zu meiner Leichenfeier eingeladen seid!"

5   ibat res ad summam nauseam, cum Trimalchio *H*
     ebrietate turpissima gravis novum acroama, cornici-
     nes, in triclinium iussit adduci, fultusque cervicalibus
     multis extendit se supra torum extremum et 'fingite
6   me' inquit 'mortuum esse. dicite aliquid belli'. con-
     sonuere cornic⟨in⟩es funebri strepitu. unus praecipue
     servus libitinarii illius, qui inter hos honestissimus erat,
     tam valde intonuit, ut totam concitaret viciniam.
7   itaque vigiles, qui custodiebant vicinam regionem,
     rati ardere Trimalchionis domum effregerunt ianuam
     subito et cum aqua securibusque tumultuari suo iure
8   coeperunt. nos occasionem opportunissimam nacti
     Agamemnoni verba dedimus raptimque tam plane
     quam ex incendio fugimus   ⟨*⟩

    78,6 cornicines *patav*.: cornices   libitinarii *Scheffer*: libertina-
rii   8 tam plane quam] plane tamquam *Jahn*

Die Geschichte wurde endgültig zum Speien, als Trimalchio, der unter einem ganz abscheulichen Rausch stand, zu einem seltsamen Konzert Hornisten in den Speisesaal beorderte, mit einer Menge Kopfkissen als Stütze sich der Länge nach über das Sofa ausstreckte und sagte: „Tut so, als ob ich tot wäre: tragt etwas Nettes vor!" Die Hornisten bliesen ein Tutti von einer Lautstärke wie auf dem Friedhof. Vor allem irgend ein Sklave des erwähnten Bestattungsunternehmers, der in dieser Gesellschaft ein besonders feiner Mann war, ließ ein solches Fortissimo los, daß er die ganze Nachbarschaft aufschreckte. So glaubten die Feuerwehrleute, die den Nachbarbezirk zu bewachen hatten, Trimalchios Haus stehe in Flammen, brachen unversehens die Haustür auf und gingen daran, kraft Amtsbefugnis mit Wasser und Beilen Wirbel zu machen. Das bot uns hochwillkommene Gelegenheit, Agamemnon etwas vorzuflunkern und gerade so wie vor einer Feuersbrunst Reißaus zu nehmen. . . .

Spuren von Bekanntschaft mit der *Cena Trimalchionis* finden wir an der Schwelle des Mittelalters in den *Etymologiae* des Bischofs Isidorus von Sevilla († 636), der zwar ohne Petron zu nennen, aber meistens mit Petrons eigenen Worten Trimalchios Erzählungen von der Entstehung der korinthischen Bronze (c. 50,5–6) und vom Erfinder des unzerbrechlichen Glases (c. 51) wiedergegeben hat (etym. 16,20,4 und 16,16,6). Danach zeigt sich erst am Anfang des 10. Jahrhunderts wieder eine Spur der Cena: der italienische Gelehrte Eugenius Vulgarius führt unter Nennung des Verfassernamens *'Petronius Arbiter'* ein paar Worte aus c. 46,5 an (Mon. Germaniae, Poetae lat. 4,430). Das kurze, stark entstellte Zitat stammt wohl nicht unmittelbar aus dem Petrontext, sondern vielleicht eher aus einem Glossar. Dagegen kannte unser nächster Zeuge, der in den römischen Autoren sehr belesene Johann von Salisbury, die Cena aus eigener Lektüre. In seinem 1159 vollendeten *Policraticus* (4,5) hat er c. 51 der Cena nacherzählt *('apud Petronium Trimalchio refert fabrum fuisse...');* an einer andern Stelle (3,13) verwendet er den aus c. 37,7 entlehnten Ausdruck *pica pulvinaris*, und einmal (8,7) fordert er den Leser auf, eine bestimmte Episode der Cena (c. 40,5 oder c. 49,9 f.) nachzulesen: *'Cenam Trimalchionis apud Petronium, si potes, ingredere...'* („lies, wenn möglich, Petrons Gastmahl bei Trimalchio...") – offensichtlich war Johann sich bewußt, daß die Cena ein seltener, nicht leicht zugänglicher Text war. Endlich macht Johann in einem 1167 geschriebenen Brief (epist. 205) mit ausdrücklicher Beziehung auf Petronius Gebrauch von der Wendung *in rutae folium conicere* (c. 37,10; vgl. c. 58,5).

Wahrscheinlich um dieselbe Zeit, da Johann von Salisbury die Cena las, etwa um die Mitte des 12. Jahrhunderts, wurde in Frankreich aus einer großen Zahl lateinischer Dichter und Prosaiker eine Anthologie, ein sogenanntes *Florilegium*, zusammengestellt. Diese umfängliche ‚Blütenlese‘ enthält auch viele kürzere und längere Stücke aus Petron. Allerdings stammen die meisten Stücke aus den Teilen außerhalb der Cena; aus der Cena sind nur acht kurze Zitate (Sentenzen und Sprichwörter) aufgenommen (c. 34,10, v.1–3; 43,6; 44,17; 45,2; 55,3, v. 1–2; 56,6; 59,2; 75,1). Die Urhandschrift dieses Florilegiums, die wir mit φ bezeichnen, ist verloren, kann aber aus mehreren noch erhaltenen Abschriften rekonstruiert werden. (Ausgaben der in φ aufgenommenen Petron-Exzerpte: T. Brandis und W.-W. Ehlers, Philologus 118, 1974, 85–112. J. Hamacher, *Florilegium Gallicum;* Prolegomena und Edition der Exzerpte von Petron bis Cicero. Bern und Frankfurt 1975, 122–138.)

Die ganze Cena ist nur in einer einzigen Handschrift überliefert, die um 1650 in der dalmatinischen Stadt Traù (Trogir), dem antiken Tragurium, gefunden worden ist und danach Codex Traguriensis heißt (in den Ausgaben üblicherweise mit dem Buchstaben H bezeichnet). Die Handschrift enthält (abgesehen von einigen Texten geringeren Umfangs) Tibull, Properz, Catull, den Petrontext der sogenannten kurzen Exzerpte (siehe unten) und auf S. 206–229 die Cena (=H). Am Ende des Catulltextes (auf S. 179) findet sich eine Notiz des Schreibers mit dem Datum des 20. November 1423; somit ist der Codex vermutlich in den Jahren 1423/24 geschrieben worden.

Offenbar steht der Codex Traguriensis irgendwie in Zusammenhang mit den berühmten Handschriftenfunden des Florentiner Humanisten Poggio (1380–1459); aber es ist nicht möglich, aus den unbestimmten Andeutungen in Poggios Briefen Ort und Zeit der Entdeckung der Cena zu erschließen. Ungelöst ist auch das Rätsel, warum die Cena im Kreise der Florentiner Humanisten, wo sonst jeder neue Fund mit Begeisterung aufgenommen und sofort durch Abschriften verbreitet wurde, ganz unbeachtet geblieben ist. Auch Poggio, bei dem man doch, nach seinen eigenen Studien und literarischen Arbeiten, großes Interesse für die Cena voraussetzen möchte, hat in seinen vielen Schriften die

Cena nie erwähnt oder zitiert. Kaum entdeckt, verschwand sie wieder spurlos für länger als zwei Jahrhunderte. Nachdem dann um 1650 der Codex Traguriensis gefunden worden war, dauerte es immer noch etliche Jahre, bis die Cena endlich im Jahre 1664 in Padua zum erstenmal gedruckt wurde. Der Fund erregte großes Aufsehen, und rasch folgten nun weitere Drucke: noch im gleichen Jahre in Paris, 1665 in Upsala, 1666 in Leipzig, 1667 in Nürnberg, 1669 und 1670 und 1671 in Amsterdam, usw. (vgl. G. L. Schmeling and J. H. Stuckey, A Bibliography of Petronius. Leiden 1977). Der Codex Traguriensis wurde 1703 für die Bibliothèque du Roi angekauft und befindet sich seither in Paris (Bibliothèque Nationale: Cod. Paris. lat. 7989). – Vorzügliche Facsimile-Ausgabe der Cena von Stephen Gaselee, Cambridge 1915. Für eine ausführliche Beschreibung des Cod. Trag. siehe A. C. de la Mare, *The Return of Petronius to Italy*, in: *Medieval Learning and Literature; Essays presented to R. W. Hunt.* Oxford 1976, 240ff. (Ebendort weitere Literaturangaben.)

Was außer der Cena von Petrons Roman erhalten ist, ist (wenn wir von dem schon erwähnten Florilegium φ absehen) durch zwei Klassen von Zeugen überliefert: die der kurzen Exzerpte (=O) und die der langen Exzerpte (=L). Die O-Klasse besteht aus der ältesten aller Petronhandschriften, dem Codex Bernensis 357 (Bern, Burgerbibliothek) vom Ende des 9. Jahrhunderts, aus zwei Handschriften des 12. Jahrhunderts und aus vierzehn Renaissancehandschriften (15. Jahrhundert). Von der Cena enthalten die O-Handschriften nur c. 55 in teilweise gekürzter Fassung (§ 1 verkürzt und §§ 4–6 von *coepit* an). Alle noch vorhandenen Vertreter der L-Klasse stammen aus der zweiten Hälfte des 16. Jahrhunderts. Es sind drei Handschriften (darunter besonders wichtig der von Joseph Justus Scaliger [1540–1609] im Jahre 1571 geschriebene Codex Leidensis Scaligeranus 61) und drei gedruckte Ausgaben (Lyon 1575, Paris 1577 und 1587). Von der Cena findet sich in den L-Texten c. 55 in gekürzter Fassung wie in O, jedoch einschließlich § 3, v. 1–2;

außerdem aber enthalten die L-Texte noch ein längeres Stück aus dem Anfang der Cena, nämlich c. 27,1–37,5 (mit einigen Kürzungen). In diesem Textabschnitt tritt also L als zweiter Zeuge neben H und ermöglicht eine gewisse Kontrolle; sonst sind wir für die Cena, ausgenommen c. 55 und die wenigen in φ enthaltenen Zitate (die sich auch in L vorfinden), auf H als einzige Quelle angewiesen. Die wechselnde Bezeugung unseres Textes ist am Rande durch die Buchstaben H, L, O und φ angedeutet; senkrechte Striche im Text zeigen an, wo die Änderung der Bezeugung einsetzt.

Die Frage, in welchen Beziehungen H, L, O und φ zueinander stehen, hat bis heute noch keine überzeugende Antwort gefunden. Eine Erörterung dieses verwickelten Problems darf hier aber um so eher unterbleiben, als es für den größtenteils allein durch H überlieferten Text der Cena nur geringe Bedeutung hat.

Zeichenerklärung

Zusätze zum überlieferten Wortlaut sind in ⟨·⟩ eingeschlossen.

Tilgungen im überlieferten Wortlaut sind in [...] eingeschlossen.

⟨*⟩ zeigt eine vermutete Lücke an.

† zeigt eine nicht geheilte Textverderbnis an. Schadhafte Stellen, die sich genau abgrenzen lassen, sind in †...† eingeschlossen.

Der kritische Apparat gibt Auskunft über die erheblicheren Abweichungen unseres Textes von der Überlieferung. Die vielen geringfügigen Irrtümer und Verschreibungen, die der Text von H aufweist, und lediglich orthographische Eigenheiten sind im Apparat nicht berücksichtigt. Über diese Dinge unterrichtet die große kritische Ausgabe Büchelers (Berlin 1862, Neudruck 1958) oder, noch besser, Gaselees Facsimile-Ausgabe von H (Cambridge 1915). Außer den in den Text aufgenommenen Verbesserungen erwähnt der Apparat auch einige bemerkenswerte Konjekturen, die teils andere Verbesserungsmöglichkeiten zur Wahl stellen, teils Zweifel an der Richtigkeit des überlieferten Wortlauts ausdrücken.

Zur Bezeichnung der Handschriften werden dieselben Siglen verwendet wie in der Tusculum-Ausgabe des Heimeran-Verlags:

H = Codex Traguriensis (siehe oben)

H^m = Marginallesart von H (entsprechend bei den andern Handschriftensiglen)

patav. = Erstdruck der Cena, Padua 1664

L = Lesart der L-Klasse; einzelne Vertreter der L-Klasse werden nur ausnahmsweise genannt:

l = Codex Leidensis Scaligeranus 61

t = Editio Tornaesiana, Lyon 1575

O = Lesart der O-Klasse

φ = Lesart der Florilegia

Wo die Überlieferung einzig auf H beruht oder wo alle übrigen Zeugen mit H übereinstimmen, werden die Lesarten im Apparat in der Regel ohne nähere Bezeichnung angeführt; Siglen werden nur hinzugefügt, wenn die Zeugen (z. B. H und L) nicht übereinstimmen oder wo die Deutlichkeit es zu erfordern schien.

Wörter oder Teile von Wörtern, die unverändert wiederholt werden müssen, sind jeweils nicht ganz ausgeschrieben, sondern

nur angedeutet worden, sofern dadurch keine Unklarheit
entstand. Die Anmerkung zu c. 26,10

                  balneum *Bücheler:* -neo

ist also zu lesen: *balneum* ist Verbesserung von Bücheler für
balneo der Überlieferung (in diesem Falle = H). Die Anmerkung zu c. 34,3

                  supellecticarius *Dousa:* lect-

bedeutet: *supellecticarius* ist Verbesserung von Dousa für das
überlieferte *lecticarius*. (Die Überlieferung dieser Stelle beruht
auf H und L, wie aus den rechts vom Text am Rande stehenden
Buchstaben zu ersehen ist.)

   Sonstige im Apparat verwendete Abkürzungen:

add. = addidit   *corr.* = correxit   *del.* = delevit   *dist.*
=distinxit   *lac. ind.* = lacunam indicavit   *om.* = omisit
transp. = transposuit

   Heraeus = Kleine Schriften von Wilhelm Heraeus. Heidel-
berg 1937.

   Hofm.-Szantyr = J. B. Hofmann und Anton Szantyr, Lat.
Syntax und Stilistik. München 1972.

   Petersmann = Hubert Petersmann, Petrons urbane Prosa.
Wien 1977 (s. Literaturverzeichnis).

26,7 f. „ein zwangloses Souper": die Bedeutung von *libera cena* ist umstritten. ‚Henkersmahlzeit‘ wie in frühchristlicher Zeit (Passio sanctarum Perpetuae et Felicitatis 17,1 *illam cenam ultimam, quam liberam vocant*) würde hier auch als Metapher rätselhaft bleiben, ‚Freitisch‘ = *gratuita cena* (so Apul. met. 1,7,8) dem Gebrauch von *liber* widersprechen. – „weil wir aus manchen Wunden bluteten" usw.: bildlicher Ausdruck, vielleicht zur Bezeichnung des vorher geschilderten Liebesabenteuers mit Quartilla, dessen stürmische Fortsetzung zu befürchten war.

27,4 Menelaus ist, mit passend gewähltem Namen, Agamemnons Assistent.

29,3 „den Merkurstab in der Hand" usw.: der göttliche Schirmherr aller Handelsgeschäfte, auf dessen Gunst sich Trimalchio etwas zugute tut (67,7. 77,4), hat in dieser Szene der Bilderfolge seinen Heroldsstab an seinen Schützling abgetreten. Minerva führt als Göttin des Gewerbes den aus Kleinasien kommenden Trimalchio (75,10) in Rom ein, bevor er wohl von dort in eine Landgemeinde gelangt. Die magistratische Tribüne, auf der er als Mitglied des Sechserrats (s. zu 30,1 ff.) Sitzrecht gehabt hatte, soll auch auf seinem Grabmonument erscheinen (71,9).

29,8 „silberne Laren" usw.: mit den Bildchen von Hausgöttern, wie sie unter jedes römische Dach gehörten, treibt der Geschäftsmann Trimalchio einen abergläubischen Kult (60,8). Warum sie sich hier, wie öfters auch in Pompeji, mit einer Venusstatuette verbinden, ist nicht kenntlich. – Die erste Rasur wurde feierlich begangen (73,6) und der Bart den Göttern geweiht; eine goldene Büchse soll auch Nero verwendet haben, und es scheint, daß Petron darüber spotten will.

29,9 „das Fechterspiel des Länas": der Spielgeber ist unbekannt. Die sarkastische Kombination mit Homer zeigt, mit welchen Augen der Gebildete die überaus populären Gladiatorenspiele ansah, die ein Trimalchio natürlich besonders liebt und überall verewigt (52,3. 71,6).

30,1 ff. „Rutenbündel mit Beilen" usw.: diese ehrwürdigen Insignien wurden den hohen römischen Magistraten in der Öffentlichkeit von den Liktoren vorangetragen. Als Mitglied des Sechserrats, eines zu Ehren des Augustus geschaffenen und vorwiegend mit Freigelassenen besetzten Gremiums in den Landgemeinden (vgl. 57,6. 65,3 ff. 71,12), durfte Trimalchio wenigstens Ruten beanspruchen, ebenso wie Prätexta und Sitz auf der Ehrentribüne (29,5. 71,9. 78,1), aber nur während der Amtstätigkeit; die dauernde Anbringung im eigenen Hause und die (in solchen Fällen rein künstlerische) Verbindung mit Beilen kennzeichnen den Parvenü. – Der Schiffsschnabel ist ein beliebtes Ornament, das hier jedoch eine höhere Funktion erhält. Die Inschrift, nicht ganz so pompös wie auf dem geplanten Grabmonument (71,12), erweist den Hausherrn als Freigelassenen eines gewissen Pompejus, der auch im Namen des Mitfreigelassenen Diogenes kenntlich ist (38,10) und wohl einst den „Pompejanischen Park" besaß (53,5 f.). – Auf der einen Tafel ist kurioserweise (daher „wenn ich mich recht erinnere") ein entweder überholter oder weit vorauffliegender Termin festgehalten, wie er also wohl selten vorkam: es ist vielleicht kalte Jahreszeit (41,11. 42,2; 44,2 scheint eher für den Hochsommer zu sprechen), aber keinesfalls Dezember (58,2). Die andere Tafel zeigt einen Steckkalender (Parapegma) mit den Mondmonatstagen und Bildern der Wochentagsgötter; dem jeweils laufenden Tag wurde in einem zugehörigen Loch ein Knopf oder Stift beigesteckt, und darüber hinaus unterscheidet Trimalchio die einzelnen Tage durch weitere, besonders gekennzeichnete Knöpfe nach ihrer astrologischen Qualifikation.

30,7 „mit entblößtem Rücken": zur Auspeitschung (49,5 f.).

31,3 Ägypterbuben waren beliebte Pikkolos, vgl. 35,6. 68,3.

31,8 „ein seltsamer Ehrenplatz": der Platz des Hausherrn fällt durch Kissenberge auf (78,5, vgl. 32,1).

31,9 „aus korinthischer Bronze": s. zu 50,1ff.

31,10 Siebenschläfer sind eine uns befremdliche, jedoch den Römern geläufige Delikatesse.

32,3 „einen mächtigen, leicht vergoldeten Ring" usw.: da goldene Ringe dem Ritterstand vorbehalten waren (vgl. 57,4 mit 58,10), weicht Trimalchio das eine Mal durch Imitation, das andere Mal durch Tarnung mit Eisen (vgl. 58,11) aus; auch benützt er statt des üblichen vierten Fingers den kleinen bzw. nur die Spitze. Für sein Grabmonument darf er fünf Goldringe vorzusehen wagen (71,9), weil das Material in der Skulptur unkenntlich bleiben mußte. Mit dem goldenen Armband spielt er sich später auf (67,7f.).

34,4 „Wasser bot niemand an": wie es im Bad (27,6) und noch vor dem Essen (31,3) geschehen war. Wein statt Wasser auch 74,1.

34,5 „Mars ist für Gleich und Gleich": die Anspielung auf den Ausdruck *aequo Marte* „mit unentschiedenem Kampfausgang" ist zumindest schief, wenn einer zuvorkommenden Behandlung jedes einzelnen Gastes das Wort geredet werden soll. Der einfache Mann liebt Sentenzen, und es kennzeichnet den ungebildeten Schwadroneur, wenn sie schlecht passen.

34,6 „anno Opimius": das Jahr 121 v. Chr., das durch den in Rom amtierenden Konsul bezeichnet wird, brachte einen ausgezeichneten Wein. Der Zusatz „hundertjährig" erweist den Halbgebildeten; wir befinden uns ja in neronischer oder nicht viel früherer Zeit.

34,7 „Darum wollen wir Prosit machen": *tangomenas* hier und 73,6 ist bisher nicht einleuchtend erklärt, und die Übersetzung muß bei dem erfindungsreichen Vokabular des Trinkkomments (vgl. 41,12 *staminatas duxi*) aufs Geratewohl verfahren.

35,3 „auf den Krebs einen Kranz": s. 39,8.

35,4 „Fixierauge": *oclopetam* ist nach Form und Bedeutung unsicher (ein Fisch?), doch ergibt sich die Pointe deutlich genug aus 39,11.

35,6 „Ein Ägypterbub": s. zu 31,3.

36,3 „Marsyasfiguren": Brunnenfiguren, die Silene mit Weinschläuchen darstellten. Bekannt war ein als Marsyas (der von Apollon geschundene phrygische Dämon) angesprochenes Bild dieser Art auf dem römischen Forum.

38,11 „am Gevatterplatz": der sonst unbekannte und in einer Gesellschaft von Freigelassenen überraschende Ausdruck *libertini loco* spielt vielleicht darauf an, daß der Mann *libitinarius* „Bestattungsunternehmer" ist. Als vergleichsweise „feiner Mann" (78,6) hat er offenbar irgendeinen Vorzugsplatz. Die Übersetzung versucht, neben dieser Bevorzugung eine Reminiszenz an ‚Gevatter Tod‘ anzudeuten.

39,3 „So schlecht kennt ihr Laertens Sohn?": Vergil Aen. 2,44 (Übersetzung nach Schiller, Die Zerstörung von Troja).

39,5 ff. „verwandelt sich in ebenso viele Bilder" usw.: an den folgenden Komplimenten für Trimalchios „astrologische Bildung" beteiligen sich Enkolp und seine Freunde gewiß mit der gleichen Erheiterung wie 47,7. Die Horoskope enthalten zahlreiche Kuriosa, die auch ohne letzte Klarheit Wirkung machen.

40,1 Hipparch und Arat waren berühmte griechische Astronomen.

40,3 „Freiheitsmütze": was die Filzkappe, die die Sklaven bei der Freilassug erhielten, hier zu bedeuten hat, ergibt sich aus 41,1 ff.

41,7 „Dionysos, du sollst LIBER sein" usw.: Trimalchio spielt mit *liber* „frei" und *Liber pater* als dem römischen Namen des Gottes Dionysos, um daraus den Witz abzuleiten, er selber könne sich eines freien Vaters rühmen statt nur Freigelassener zu sein.

41,11 „ein warmer Tropfen": Wein trank man in der Regel mit warmem Wasser vermischt (vgl. 65,7. 68,3).

41,12 „nach Noten getankt": s. zu 34,7.

43,3 „weil ich verstehe, was die Spatzen pfeifen": eigentlich ‚weil ich Hundszunge gegessen habe'. Mit *lingua canina* ist vermutlich die Pflanze bezeichnet, deren Saft gegen Schwerhörigkeit verordnet wurde. Somit scheint der Ausdruck mit volkstümlicher Übertreibung *(comedi)* eine besondere Hellhörigkeit zu motivieren.

44,3 Die Ädilen hatten für Lebensmittel und insbesondere für die Brotlieferungen zu sorgen. Die *Saturnalia* waren ein karnevalähnliches Fest im Dezember (vgl. 58,2. 69,9).

44,12 „wächst nach rückwärts wie ein Kälberschwanz": wohl mit volkstümlicher Verkehrung der Aspekte soviel wie ‚geht (im Wachstum) zurück'.

45,4 „Freigestellte": ausgediente Fechter, die nach der Entlassung freiwillig wieder auftraten.

45,5 Titus ist ein spielgebender Beamter, mit dem sich Echion durch Benützung des Vornamens anbiedert.

45,10 Mammea und Norbanus (vgl. 46,8) bewerben sich um ein städtisches Amt, wohl das Duumvirat.

48,2 Tarracina liegt zwischen Rom und Neapel, so daß die bis Tarent reichenden Besitzungen ein gutes Stück von Italien ausmachen würden. Wie im folgenden gehen wohl kokette Aufschneiderei („Grundstückchen") und geographischer Unsinn zusammen; 77,3 ist statt Sizilien vielmehr Apulien, das er sich vielleicht noch weiter abgelegen denkt, das Ziel von Trimalchios Wünschen.

48,7 „wie ihm der Zyklop" usw.: die bekannte Erzählung der Odyssee wird offenbar mit einem fremden Motiv zusammengeworfen. „Zange" ist nicht sicher.

48,8 „wie sie in einem Ballon schwebte": als wäre sie schon mumifiziert.

50,1 ff. „aus korinthischer Bronze" usw.: auf diese begehrte Legierung ist Trimalchio besonders stolz (vgl. 31,9). Man fabelte, sie sei bei der Zerstörung Korinths im J. 146 v. Chr. entstanden, als Bronze, Gold und Silber im Feuer zu einer Masse verschmolzen. Trimalchios Darstellung strotzt wie sonst von ungeheuerlichen Verwechslungen.

51,2 „bei'n Kaiser": Tiberius.

52,1 Kassandra ist mit Medea verwechselt.

52,2 Dädalus zimmerte eine Kuh, in der sich Minos' Frau Pasiphaë verbarg, um sich von dem kretischen Stier bespringen zu lassen. Trimalchio erliegt wieder allerlei Irrtümern.

52,3 Über Petraites s. zu 71,6.

52,9 Der Schauspieler Syrus ist sonst unbekannt.

53,5f. Über den „Pompejanischen Park" s. zu 30,1ff.

53,9 „mit Begründung": diese kann man sich schwerlich anders als schmeichelhaft vorstellen, etwa so, daß Trimalchio auf sein Pflichtteil gönnerhaft verzichtet hatte.

55,4 „der Thraker Mopsus": einer von den vielen Bildungsschnitzern der Tafelrunde oder vielmehr des Hausherrn, der wohl auch hier als Wortführer zu denken ist. Vielleicht liegen trübe Reminiszenzen an den thrakischen Sänger Orpheus und den kleinasiatischen Seher Mopsus zugrunde.

55,5f. „Publilius": die Konfrontierung Ciceros – statt etwa mit Vergil – mit Publilius Syrus, einem Mimendichter cäsarischer Zeit (die Handschriften bieten hier freilich *Publium,* und der Beiname fehlt), soll offensichtlich wieder den Banausen kennzeichnen. Aber die Verse, mit denen Petron (denn er zitiert nicht, sondern erfindet) Publilius zu charakterisieren vorgibt, sind gerade in ihrer extrem barocken Form von unverächtlichem Raffinement und überraschen vollends im Munde Trimalchios: es ist gewiß wohlberechnet, wenn der Autor seine virtuose Artistik, die wie Parodie anmuten kann, durch zwei inadäquate Gestalten verfremdet.

57,4 „Du bist römischer Ritter" usw.: Askyltos hat sich, wie wir an anderer Stelle des Romans erfahren, nur zur Stellung eines Freigeborenen hinaufgedient. Daß er wirklich Ritterrang besitzt, scheint daher fraglich, und so mag sein goldener Ring (58,10) dreiste Hochstapelei sein (vgl. zu 32,3). Der Sprecher Hermeros stammt aus einer Provinz, die Rom steuerpflichtig war, vielleicht aus Kleinasien wie Ganymedes und Trimalchio (44,4. 75,10); „Prinz" könnte in seinem Munde Euphemismus für den Bankert eines Potentaten sein, und Stiefkinder Fortunas mochten wohl einmal über Sklaverei und Freilassung den Weg zum römischen Bürgerrecht suchen.

57,6 „tausend Mark habe ich für meine Freilassung bezahlt" usw.: gemeint ist die fünfprozentige Steuer (s. zu 58,2), die hier einen schmeichelhaft hohen Wert des Sprechers ergibt (vgl. 65,10). Wer in den Sechserrat (s. zu 30,1 ff.) gewählt wurde, zahlte in der Regel einen Betrag an die Gemeindekasse.

58,2 „Vivat Karneval" usw.: s. zu 44,3. Die „fünf Prozent" sind die aus dem Wert des Sklaven errechnete Freilassungssteuer, die von ihm selbst zu zahlen war (vgl. 57,6), wenn der Herr sie nicht übernahm, wie es bei Freilassung nach dem Tode (65,10) oder durch Testament (71,2) geschehen konnte. Die Abgabe wurde von dem Personal des Steuerpächters eingezogen und dem Fiskus zugeführt.

58,6 „mit Gold bepinselt": die Bilder hoher Gottheiten pflegte man durch Vergoldung der Bärte auszuzeichnen.

58,7 „Singe den Zorn" ist der Anfang der Ilias.

58,8 f. „Wer mag ich sein ...?" usw.: die Auflösung ist bei den Erklärern umstritten, doch dürfte das Zweideutige eindeutig genug gesagt sein.

58,10 f. „dem gelben Ring ... mein Eisen": über goldene und eiserne Ringe s. zu 32,3.

58,12 „daß die Leute bei meinem Heimgang schwören": etwa mit der Wendung ‚so wahr ich in Ehren sterben will wie Hermeros'.

58,13 „ein Laffe": *mufrius* ist ungeklärt.

59,3 ff. Die auch sonst bekannten Homeristen waren hiernach Schauspieler, die homerische Szenen zu possenhafter Darstellung brachten, indem sie in griechischen Versen Dialoge hielten. Trimalchio kokettiert sonst gern mit seinem Griechisch (48,4. 8), zieht es hier aber vor, dem Originaltext anhand eines lateinischen Librettos zu folgen, und kompromittiert sich mit seinem Kommentar: die Dioskuren sind mit Diomedes und Ganymedes verwechselt; mit Helenas Entführung durch Paris fließt, grotesk entstellt, die bekannte Sage zusammen, wonach Diana Agamemnons Tochter Iphigenie der Opferung entzog und ihr eine Hirschkuh unterschob; das Griechenland der Heroenzeit erscheint wohl als identisch mit Großgriechenland bzw. Tarent, wo bildungsbeflissene Römer studierten und Trimalchio angeblich Besitzungen hatte (48,2, vgl. 38,2); Iphigenies Vermählung wird vollzogen und folgt auf Agamemnons persönlichen Sieg über Troja; Ajax, der unter erbeuteten Herden ein Blutbad anrichtete, ist wahnsinnig aus Eifersucht auf Achill statt aus Neid wegen Achills Waffen.

60,7 „es müsse eine Weihgabe sein" usw.: Safran wurde im Kult als Räucherwerk verwendet.

60,8 „Laren mit Kapseln um den Hals": die goldenen Amulettkapseln, die die Kinder freigeborener Römer um den Hals trugen, wurden nach Ablegung den Hausgöttern geweiht und erscheinen auch sonst als deren Attribut. Vielleicht soll angedeutet werden, daß Trimalchio, der gar zu gern als Freigeborener gelten möchte (41,8), wiederum fremde Standesinsignien verwendet.

61,5 „Sprachs": *haec ubi dicta dedit* ist eine epische Floskel und bildet stilistisch einen köstlichen Kontrast zu dem vorhergehenden Geschwätz.

62,12 „wie der geprellte Gastwirt": eine äsopische Fabel erzählte, wie ein Gastwirt vor einem Dieb, der sich als Werwolf ausgab, davonlief und seinen Rock zurückließ.

63,2 „Der Esel in den Dachpfannen" ist eine Art Motto für die folgende Hexengeschichte. Schwerlich wird ein Zauberkunststück bezeichnet (‚Hokuspokus, der Esel soll auf dem Dach sein!'); eher läßt sich unser ‚Elefant im Porzellanladen' vergleichen und ist das Drunter und Drüber gemeint, das die Hexen anstellen (9).

64,1 „küssen die Tafel": wohl eine apotropäische Geste.

64,4 „Der Barbierladen" war offenbar eine erfolgreiche Solonummer dieses Kabarettisten. Der Selbstvergleich mit Apelles, einem bewunderten Tragöden zur Zeit Caligulas, wirkt in der unkorrekten, sonst nur inschriftlich bezeugten Namensform doppelt komisch.

64,12 Dieses Spiel ist auch unseren Kindern geläufig („Rumpeldipumpel, Holderstock, wieviel Hörner hat der Bock, wieviel Finger stehn?").

65,3 „ein Magistratstrabant": Habinnas gehört dem Sechserrat an, wie sich gleich zeigt, und hat Anspruch auf einen Liktor (vgl. zu 30,1 ff.).

65,4 „die bloßen Füße": auf dem Speisesofa lag man ohne Schuhe. Enkolp läßt sich so wenig wie nachher Habinnas (72,4) Zeit, sie beim Aufstehen wieder anzuziehen.

65,7 Die Szene ist dem Auftritt des Alkibiades in Platons „Symposion" nachgebildet. Habinnas nimmt den der höchsten örtlichen Magistratsperson zustehenden Platz ein, als ob er wirklich der Prätor wäre, für den Enkolp ihn anfangs hielt (65,4). Über warmes Wasser s. zu 41,11.

65,10 Scissa kann auch eine Frau sein. Über die „Fünfprozentler" s. zu 58,2.

66,7 „Punktum, Palamedes!": Odysseus' Gegner Palamedes galt als Erfindergenie wie Dädalus und könnte in ähnlicher Weise (vgl. 70,2) einen Tausendsassa von Koch bezeichnen, wobei der Eigenname mit volkstümlicher Prägnanz den Typ vertreten würde. Aber die Wendung ist umstritten und selbst *pax* als Interjektion hier unsicher.

67,7 „aus Merkurs Zinsgroschen": *ex millesimis Mercurii* ist nicht ganz verständlich. Vermutlich will Trimalchio damit prahlen, daß die schwere Goldspange nur ein Minimum von Zinsen aus seinem Vermögen aufgezehrt hat. Über Merkur s. zu 29,3.

67,10 „gepiesackt": *excatarissasti* ist nicht durchsichtig.

68,3 Über Ägypterbuben s. zu 31,3, über warmes Wasser zu 41,11.

68,4 „Äneens Flotte" usw.: Vergil Aen. 5,1.

69,9 An den Saturnalien (s. zu 44,3) schenkte man sich Kerzen und Tonfiguren. Für die letzteren hatte Rom einen eigenen Markt und eine Ladenstraße.

70,2 Dädalus, der berühmte Erbauer des Labyrinths, Konstrukteur künstlicher Flügel usw. (vgl. zu 52,2), galt als Erfindergenie überhaupt.

70,10 „als Parteigänger der Grünen": bei den Zirkusspielen wurden die vier Rennwagen von ebenso vielen Unternehmergruppen gestellt, die sich nach Farben unterschieden. Favoriten waren besonders die Grünen, auch bei Caligula und Nero; nächst ihnen fanden die Blauen Anklang, und Trimalchio mag als Freund oder Unternehmer zu diesen gehören.

70,13 Ein Tragöde Ephesus ist sonst nicht bekannt.

71,2 „die fünf Prozent": s. zu 58,2.

71,6 Petraites ist der schon 52,3 genannte Gladiator neronischer Zeit. Vgl. zu 29,9.

71,9 Die Segelschiffe beziehen sich auf seine ehemaligen Handelsgeschäfte (76,3 ff.), Ehrentribüne und Prätexta auf seine Amtszeit im Sechserrat (s. zu 30,1 ff.). Die fünf goldenen Ringe wirken grotesk (s. zu 32,3).

71,11 „meinen Butzelmann": den Lieblingsknaben Krösus (28,4. 64,55 ff.). Einen Sohn hat Trimalchio nicht (74,15).

71,12 Die Grabschrift verwendet zum Teil solenne Formeln – auch der Grußwechsel zwischen dem Toten und dem Passanten ist nicht vereinzelt –, bildet aber eine köstliche Karikatur.

72,4 „mit bloßen Füßen": s. zu 65,4.

73,3 Menekrates trat unter Nero als Sänger zur Kithara auf.

73,6 Über das Bartfest s. zu 29,8, über *tangomenas* „Prosit" zu 34,7.

74,1 f. „Wein unter dem Tisch ausgießen" usw.: drei apotropäische Handlungen. Um einen Brand nicht zu ‚berufen', goß man Wasser unter den Tisch; Trimalchio in seiner Angst vor dem ‚roten Hahn' ist vornehmer (vgl. 34,4) und benützt zum Besprengen der Lampe sogar ungemischten Wein.

74,13 „spuckt sich nicht in den Busen": wie sie es mit einem ‚Unberufen' hätte tun sollen, wenn sie unbescheiden auftrat.

74,14 „Kommißstiefel-Kassandra": der Klangreim *Cassandra caligaria* unterstreicht die Dissonanz zwischen der *Priameia virgo* (Vergil Aen. 2,403) und einem martialischen Gehaben. Gewiß erliegt Trimalchio auch hier einer Verwechslung: mit Medea (wie 52,1) oder einer anderen megärenhaften Figur.

75,7 „Reißnagel": Trimalchio verwechselt offenbar *trabalis* (*clavus t.* „Balkennagel") mit *tab(u)laris.*

76,2 „neben dem Kaiser": den man im Testament bedachte, wenn man etwas auf sich hielt.

77,3 „meine Grundstücke an Apulien anzuschließen": s. zu 48,2.

77,4 Über Merkur s. zu 29,3.

78,1 „eine Toga mit Purpurborte": s. zu 30,1 ff.

78,6 „des erwähnten Bestattungsunternehmers": 38,11 ff.

Literaturverzeichnis (Auswahl)

1. Grundlegende Textausgaben:

F. Bücheler 1862, letzter Nachdruck 1963; kleine Ausgabe 1862, ⁵1912 und ⁶1922 von W. Heraeus

A. Ernout 1922, ⁵1962, letzter Nachdruck 1974 (mit Übersetzung)

Konrad Müller 1961; kleine Ausgabe (mit Übersetzung von W. Ehlers und Textverbesserungen) 1965, ²1978

Cena: W. Heraeus 1909, ³1939; erneuert von H. Schmeck 1954, Nachdruck 1964

2. Kommentare:

P. Burmannus 'cum integris doctorum virorum commentariis' 1709, ²1743, Nachdruck 1974

Cena: L. Friedländer 1891, ²1906, Nachdruck 1960 (mit Übersetzung); W. B. Sedgwick 1925, ²1950, letzter Nachdruck 1967; P. Perrochat 1939, ³1962; A. Maiuri 1945; E. V. Marmorale 1947, ²1961, letzter Nachdruck 1965; Martin S. Smith 1975

3. Übersetzungen:

Vollständig (zahlreiche Nachdrucke): W. Heinse 1773; A. Ernout 1922, s. o.; P. Dinnage 1953; C. Fischer 1962; W. Ehlers 1965, s. o.; J. P. Sullivan 1965, ²1977; H. C. Schnur 1968 (mit ausführlichen Erläuterungen); M. C. Díaz y Díaz 1968/9; M. Heseltine – E. H. Warmington 1969 (Loeb Classical Library 15)

Cena: L. Friedländer 1891, s. o.; O. Weinreich, Römische Satiren 1949 (Nachdruck 1962), 312ff. (weitere Partien in Auswahl); W. Krenkel in: Römische Satiren, hrsg. von W. K. 1970, 257ff. (desgl.)

4. Zur Sprache:

W. Heraeus, Die Sprache des Petronius und die Glossen 1899 = Kleine Schriften 1937, 52 ff. (mit Verbesserungen und Zusätzen)

H. L. W. Nelson, Petronius en zijn 'vulgair' latijn 1947 (mit englischer Zusammenfassung); ders. in: Actes du premier Congrès de la Fédération Internationale des Associations d'Etudes Classiques 1950 (1951), 220 ff.

A. Stefenelli, Die Volkssprache im Werk des Petron im Hinblick auf die romanischen Sprachen 1962

H. Petersmann, Petrons urbane Prosa 1977 (Sitz.-Ber. Akad. Wien, phil.-hist. Kl. 323; wird fortgesetzt)

5. Einführungen:

M. Schanz – C. Hosius, Geschichte der römischen Literatur II 1935, 509 ff.

W. Kroll in: Pauly-Wissowa, RE Art. ‚Petronius' Nr. 29 (1937)

J. P. Sullivan, The Satyricon of Petronius: A Literary Study 1968

F. M. Fröhlke, Petron: Struktur und Wirklichkeit/Bausteine zu einer Poetik des antiken Romans 1977 (Europäische Hochschulschriften XV 10; mit weiterer Spezialliteratur)

6. Neuere Forschungsberichte, Bibliographie:

R. Muth in: Anzeiger für die Altertumswissenschaft 9, 1956, 1 ff. (für 1941–1955)

The Petronian Society Newsletter 1970 ff. (halbjährlich hrsg. von G. Schmeling, University of Florida, Gainesville)

G. L. Schmeling and Johanna H. Stuckey, A Bibliography of Petronius 1977